DESCIFRADORES
DE LOS JEROGLÍFICOS A LOS HACKERS

Simon Adams

Asesor
Peter Chrisp

Traducción
Lourdes Sanz y José Ochoa

Alhambra

Dorling **DK** Kindersley

A Dorling Kindersley Book
www.dk.com

Descifradores. De los jeroglíficos a los hackers

Traducido de: *Code Breakers. From Hieroglyphs to hackers.*
Copyright © 2002 Dorling Kindersley Limited, London
ISBN 0-7513-3751-X

De esta edición:
© 2003 PEARSON EDUCACIÓN, S.A.
Núñez de Balboa, 120
28006 Madrid
Este libro sólo puede venderse en España

ISBN 84-205-3644-X
ALHAMBRA es un sello editorial autorizado de Pearson Educación, S.A.

Traducción y maquetación: Lourdes Sanz y José Ochoa
Coordinación editorial: Adriana Gómez-Arnau y Ana Maestre

IMPRESO EN ITALIA - PRINTED IN ITALY
Este libro ha sido impreso con papel y tintas ecológicos

ÍNDICE

INTRODUCCIÓN

Pocos pueden resistir el misterio. Cuando nos intrigamos queremos buscar pistas, hasta que resolvemos el puzzle. No es extraño que los códigos secretos estén entre los misterios más fascinantes. A veces pasan muchos años antes de poder revelar los secretos ocultos dentro de ciertos números, letras o símbolos.

Los códigos son tan antiguos como la propia civilización. La gente los ha ido inventando para mantener información en secreto. Reyes, reinas, papas y emperadores cifraban sus mensajes personales y diplomáticos para mantener sus intrigas a salvo de espías y poderes extranjeros. Los enamorados se escribían cartas codificadas para mantener en secreto sus citas. Los militares daban órdenes codificadas para evitar que información vital cayera en manos enemigas. Al principio, estos códigos no eran más que ligeras alteraciones del alfabeto. Pero hacia el siglo XVI algunos

LAS RUEDAS DE CLAVES CODIFICABAN MENSAJES MEDIANTE LA ALINEACIÓN DE LETRAS EN DISCOS GIRATORIOS.

códigos eran tan complejos que eran casi imposibles de descifrar. Conforme se inventaban códigos cada vez más difíciles, el desciframiento debía ser más sofisticado. Durante la Segunda Guerra Mundial se crearon unos ordenadores primitivos para vencer al invento alemán Enigma, la máquina de cifrado más poderosa de todos los tiempos.

La contienda entre cifradores y descifradores de códigos es hoy más dura que nunca, pues los piratas siguen encontrando formas de penetrar en los códigos que protegen todo tipo de secretos. Por el momento, los cifradores tienen la última palabra. Hemos llegado a una época en que todos los días se usan códigos realmente indescifrables. Estos códigos no serán descubiertos hasta que no surja una nueva generación de ordenadores. Este libro cuenta la historia del desciframiento desde la época antigua hasta la actual, con la física cuántica. Averiguarás datos sobre los códigos más complicados y sobre las inteligentes personas que los descifraron.

Para explorar el tema con más detalle están los "bocadillos" (*bits*) negros *Conéctate* que aparecen por todo el libro. Te llevarán a sitios web en los que encontrarás más información sobre los códigos y los descifradores de códigos.

VIDA Y CÓDIGOS

Hablar de códigos es pensar en espías y en aventuras de guerra o en mensajes secretos que llevan a fortunas escondidas. Pero piensa algo más y pronto verás que los códigos son parte de la vida diaria. Hay dos tipos de códigos: uno para mantener información en secreto y otro para comunicarla abiertamente en casa, en el trabajo e incluso en la calle. Casi todos nosotros nos pasamos la vida cifrando y descifrando códigos.

Comunicarse en código
Mira las palabras de esta página. Si sabes español, entenderás su significado. Pero si eres francés o chino, estas palabras carecerán de significado para ti. Cada lengua es una forma de código compartido por los hablantes de esa lengua. En el caso del español, este código es compartido por más de 400 millones de personas que lo tienen como lengua nativa, por

lo que no se puede decir que sea un secreto. Pero, como veremos más tarde, sólo unos pocos miles de personas hablan el navajo, una lengua nativa americana. Aquellos que no pertenezcan al pueblo navajo no entenderán una sola palabra.

Códigos cotidianos

Cada vez que usas un ordenador, estás usando un código. El ordenador que tienes en tu mesa funciona con un código especial de números. Este código es la única forma para que ordenadores de distintas partes del mundo puedan comunicarse a través de internet. Cuando usas el teléfono, necesitas un código nacional para poder conectar con Italia (+39) en lugar de

SI NO HAS APRENDIDO QUE EL VERDE SIGNIFICA "CIRCULAR" Y EL ROJO ES "PARAR", PUEDES TENER UN GRAVE ACCIDENTE.

Francia (+31). Cuando envías una carta también necesitas un código postal que identifica la dirección correctamente.

Los códigos también adoptan la forma de símbolos o dibujos.

LOS GRAFFITI PUEDEN SER UN CÓDIGO QUE SÓLO CIERTAS PERSONAS QUE PERTENECEN A UNA MISMA BANDA PUEDEN ENTENDER.

Las luces verde (circular) o roja (parar) de un semáforo son también un código. Hay códigos que te informan de cómo conectar bien un aparato y otros se usan en la ropa para advertirte de que no planches a temperatura alta tu mejor camisa.

Hasta la ropa es un tipo de código que indica a los demás qué persona eres. Los códigos de la moda cambian mucho: si demasiada gente los descifra, hay que cambiarlos.

Los códigos forman parte de nuestras vidas para que no haya confusión.

Definir un código

Llegados a este punto, necesitamos algunas definiciones. Técnicamente hablando, un código es sustituir una palabra entera o frase por una letra, número o símbolo, mientras que una clave es

LOS ORDENADORES SE COMUNICAN ENTRE SÍ CON UN CÓDIGO NUMÉRICO ESPECIAL LLAMADO "CÓDIGO BINARIO", FORMADO POR LOS DÍGITOS 0 Y 1.

sustituir cada una de las letras de una palabra. Así, el código para "Madrid" puede ser la sola letra X o el número 28, mientras que una clave para "Madrid" tendría seis letras o seis números, como NEFSOF o 26 2 8 38 18 8. Se usa un código para codificar un mensaje y luego decodificarlo y volver a darle sentido. Igualmente se cifra y se descifra un mensaje usando claves. La ciencia que estudia la codificación de mensajes se llama criptografía. A la resolución de un código o una clave se le llama criptoanálisis.

Hoy en día la diferencia entre

códigos y claves va desapareciendo. Para hacerlo todo más sencillo, llamemos a las dos variantes "códigos", a no ser que haya que ser más precisos.

C ódigos secretos

Los primeros códigos de la historia se inventaron para guardar secretos militares. Un mensajero que lleva una orden importante de un comandante a sus tropas en el campo de

---

LA ESCRITURA ES UN CÓDIGO DE COMUNICACIÓN, SIEMPRE Y CUANDO CONOZCAS LA LENGUA. NECESITAS SABER JAPONÉS PARA LEER ESTOS CÓMICS.

batalla puede ser capturado y el mensaje caer en manos enemigas. Esto pondría en peligro la vida de las tropas. Al escribir el mensaje en código las instrucciones son secretas.

Los códigos se crearon también para guardar secretos nacionales: una carta a un líder extranjero con una alianza para atacar a un enemigo común o un complot para asesinar a un rey vecino. Hasta las cartas rutinarias de los embajadores se codificaban para ocultar su contenido. Griegos, romanos, árabes y europeos ingeniaron códigos cada vez más y más complejos

EL CÓDIGO POSTAL SIRVE PARA RESUMIR DETALLES DE LA INFORMACIÓN DE UNA DIRECCIÓN. ACELERA LA SELECCIÓN Y EL REPARTO.

para proteger sus secretos militares y políticos del enemigo.

F abricar códigos secretos

Por cada persona que crea un código se necesita otra para descifrarlo. En el siglo XIX equipos de descifradores abrían por sistema las sacas diplomáticas para detectar mensajes extraños e intentar descubrir a los enemigos del país. El cifrado y descifrado de códigos se convirtió en un gran negocio y se formaron verdaderos expertos.

A salvo y seguro

Hoy todo el mundo usa códigos para mantener la intimidad y la seguridad, no sólo los gobernantes y militares. La tecnología ha dado códigos más baratos y sofisticados. Puedes codificar tus correos electrónicos con códigos casi indescifrables descargados gratis de internet. Bancos y empresas pueden hablar entre sí privadamente a través de sus redes de ordenadores. También

CURIOSIDADES

LOS PRESIDENTES DE EE.UU. Y RUSIA SE COMUNICAN A TRAVÉS DE UNA LÍNEA TELEFÓNICA ESPECIAL EN LAS EMERGENCIAS. SUS CONVERSACIONES SON TAN SECRETAS QUE USAN UN CÓDIGO QUE CAMBIA CADA DÍA.

transfieren dinero electrónicamente por todo el mundo en cosa de segundos. Estas operaciones están protegidas por códigos para evitar que el dinero llegue a una cuenta corriente errónea o que los secretos comerciales vayan a parar a la competencia. Las comunicaciones militares vía satélite también están codificadas, igual que las conversaciones telefónicas entre gobiernos. Hasta las alarmas antirrobo o el portero automático de tu casa tienen un código antiladrones. Los códigos protegen tu casa y tus pertenencias y evitan el fraude con tu dinero. También protegen tu país y te mantienen a salvo del peligro. En otras palabras, los códigos son esenciales para nuestras vidas.

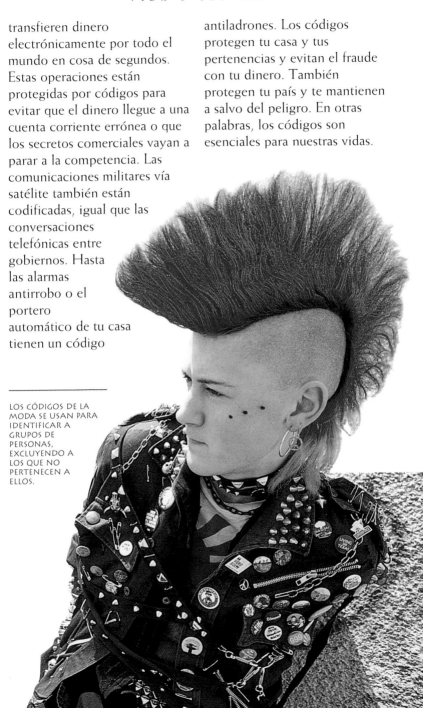

LOS CÓDIGOS DE LA MODA SE USAN PARA IDENTIFICAR A GRUPOS DE PERSONAS, EXCLUYENDO A LOS QUE NO PERTENECEN A ELLOS.

CÓDIGOS Y ÉPOCAS

La gente siempre ha usado códigos en la información. En un pasado lejano se usaban códigos simples de dibujos o signos para registrar datos. No se pretendía que los signos fueran secretos y sí fácilmente comprensibles. Cada civilización tiene sus propios códigos. Con el tiempo, sus significados se han ido perdiendo u olvidando y pueden resultarnos tan extraños que se necesita al mejor descifrador para leerlos. A los códigos de nuestra civilización les ocurrirá lo mismo.

LOS MENSAJES DE TEXTO SON UNA SENCILLA FORMA DE COTILLEAR, GASTAR BROMAS O ARREGLAR CITAS CON NUESTROS AMIGOS. TODO ELLO SE HACE DE FORMA CODIFICADA.

El código favorito del mundo
Dentro de mil años tus mensajes de texto pueden ser tan misteriosos para las generaciones futuras como ciertas escrituras antiguas lo son para nosotros. Eso suponiendo que sobrevivan ejemplos de dichos mensajes. Ahora la tecnología hace que comunicarse en código sea rápido, barato y sencillo. Si quieres enviar un mensaje a un amigo que está en clase, probablemente usarás tu teléfono móvil. Y no eres el único, pues en todo el mundo cada mes se envían unos 25.000 millones de mensajes. Cada una de esas personas está hablando en código. Estos mensajes son una de las formas más usuales de código de comunicación.

QTL TDO?

Hay cientos de códigos de abreviaturas que emplean los usuarios de móviles cuando envían mensajes. Los mensajes SMS han de ser cortos porque la pantalla de un móvil sólo admite unas 160 letras en inglés, francés o español (unas 30 palabras) y sólo unas 70 letras en lenguas como el chino o el árabe.

Corto y dulce

Hay que tener mucha inventiva para concentrar un contenido en pocos caracteres. Se puede decir XQ? (¿por qué?), NS SI RE (no sé si iré), TQ 1B (Te quiero. Un beso). Estos son algunos de los

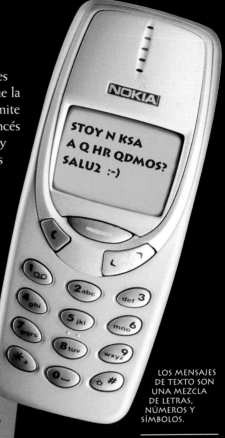

LOS MENSAJES DE TEXTO SON UNA MEZCLA DE LETRAS, NÚMEROS Y SÍMBOLOS.

> **CURIOSIDADES**
>
> ALEMANIA ESTÁ A LA CABEZA DE LOS MENSAJES DE TEXTO SMS, CON 1.800 MILLONES DE MENSAJES ENVIADOS EN DICIEMBRE DE 2000. TODA EUROPA ENVIÓ 7.000 MILLONES DE MENSAJES ESE MES.

códigos de uso diario, pero seguro que tú y tus colegas de SMS habéis creado muchos más.

Fácil y divertido

Muchos de los códigos de mensaje usan la primera letra de cada palabra (NC = no contesta) o abrevian la palabra empleando letras sueltas en lugar de sílabas (FRT = fuerte). Otros sustituyen sílabas por su pronunciación en inglés (FX = efecto), por símbolos (L = grande) o combinan letras y números (A2 = adiós, S3 = estrés). Hasta puedes contar a tus amigos cuál es tu estado mental usando dibujos hechos con signos de puntuación que se leen de lado.

15

Se les llama emoticonos y poco a poco va aumentando su número. Usa :-) para decir que estás contento; guiña un ojo para mostrar complicidad ;-) o puedes usar @:-(para decir "no me gusta mi nuevo peinado".

C omunicar con dibujos

La ventaja de usar dibujos como códigos es que pueden ser entendidos por todo el mundo. Los dibujos no tienen fronteras. Algunos dibujos-código son obvios, como el que indica que no se puede fumar. Otros son bien conocidos, como la cruz roja que

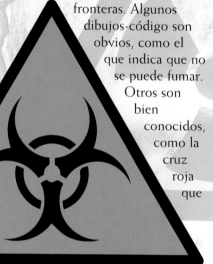

ESTE SÍMBOLO DE ASPECTO TEMIBLE SIGNIFICA PELIGRO DE CONTAMINACIÓN BIOLÓGICA. LAS SEÑALES TRIANGULARES SUELEN SER DE ADVERTENCIA.

avisa de que un vehículo es una ambulancia. Pero otros hay que descifrarlos para entender su significado. Las señales internacionales amarillas de peligro están pensadas para que todo el mundo las entienda,

pero no todas son obvias. Si ves una con tres abanicos que salen de un punto negro, mantente apartado, pues significa "radiactividad".

E scoge un símbolo

Como no todo el mundo puede leer y escribir, los códigos de dibujos a menudo se usan en lugar de letras. Por ejemplo, en unas elecciones generales te dan una papeleta de votación que tiene escritos los nombres de todos los candidatos. En muchos países, incluidos la India, Sudáfrica y el Reino Unido, a los nombres les acompaña un símbolo que indica a qué partido pertenece cada candidato. La rueda representa al Partido Indio del Congreso, la rosa, al Partido Laborista británico, etc. La gente que no puede leer los nombres, puede reconocer el símbolo del partido.

S ignos primitivos

Usar dibujos como códigos no es algo nuevo. Durante miles de años la gente pintó dibujos en cuevas y dejó mensajes con signos sencillos, pues los alfabetos actuales entonces eran desconocidos. Usar signos era algo muy eficaz. Una sola imagen puede contener mucha información.
Hacia el 3.300 a.C. los antiguos

pueblos de Mesopotamia (actual Iraq) desarrollaron una forma de escritura basada en sencillos dibujos del mundo que les rodeaba. Cada pictograma, que es como se llaman los dibujos, representaba una palabra o idea. El diseño de la cabeza de una vaca representaba a la palabra

UN VOTANTE DE LAS ELECCIONES DE SUDÁFRICA EXAMINA LOS SÍMBOLOS DE PARTIDO DE LOS CANDIDATOS.

cosecha anual y luego para la historia del país y sus reyes. Eran un código universal. Los dibujos podían descifrarse sin importar cuál fuera la lengua del hablante.

ALGUNAS ESCRITURAS ANTIGUAS AÚN NO LOGRAN SER DESCIFRADAS

"vaca", la combinación de los signos para "mujer" y "montañas" significaba una extranjera de más allá de las montañas, o sea, una esclava.

Los pictogramas se usaron al principio para los registros de la

P alabras en forma de cuña

Los escribas de Mesopotamia usaban una caña (parecida a nuestra estilográfica, pero sin tinta) para garabatear estos pictogramas en tablillas de arcilla húmeda. Las tablillas se

17

secaban luego al sol. Como sobre arcilla húmeda es más fácil trazar una línea recta que una curva, los pictogramas evolucionaron a líneas rectas con forma de cuña. A esta escritura se le llama "cuneiforme", del latín *cuneus*, que significa "cuña".

LOS GLIFOS MAYAS SE TRAZABAN DENTRO DE ÓVALOS, CÍRCULOS O CUADRADOS.

CURIOSIDADES

EL ÚNICO LUGAR DEL MUNDO EN EL QUE SOBREVIVEN LOS PICTOGRAMAS ES CHINA. LA ESCRITURA CHINA TIENE MÁS DE 50.000 PICTOGRAMAS, AUNQUE EN EL USO DIARIO SÓLO SE EMPLEAN UNOS POCOS MILES.

Descifrar los glifos

Siglos más tarde, hacia el 300 d.C., en el otro lado del mundo, el pueblo maya de América Central desarrolló sus propios pictogramas. Tras desaparecer la cultura maya, el significado de sus glifos (dibujos) permaneció en secreto hasta 1980. Entonces los investigadores se dieron cuenta de que los complejos dibujos eran combinaciones de ideas y

EL PICTOGRAMA PARA CERVEZA ES UNA JARRA DEL REVÉS CON LA BASE PUNTIAGUDA.

EL CUNEIFORME ERA UNA FORMA DE ESCRITURA PICTOGRÁFICA EMPLEADA PARA ANOTAR VARIAS LENGUAS ANTIGUAS.

UNA CAÑA DE EXTREMO CUADRADO PRODUCE DIBUJOS EN FORMA DE CUÑA.

LOS AZTECAS REGISTRARON LAS HAZAÑAS DE
DIOSES Y HÉROES EN DIBUJOS. UN ESCUDO Y
UNA MAZA REPRESENTABAN A LA GUERRA.
UN TEMPLO EN LLAMAS ERA LA VICTORIA.

sonidos individuales, mientras que las barras y los puntos significaban números.

Al dibujar los glifos de dioses, nacimientos, muertes y batallas, los mayas registraron con exactitud su historia.

Los aztecas

Los aztecas, vecinos de los mayas, gobernaron lo que hoy es Méjico desde el 1200 en adelante. Emplearon dibujos para sus muy complejos calendarios. Al igual que los mayas, los aztecas estaban obsesionados con el paso del tiempo: tenían un glifo distinto para cada día del mes y para cada mes. Igual que nosotros numeramos los días de nuestros meses del 1 al 30 o al 31, los aztecas pintaban sus días con una flor, la lluvia, un cuchillo o un lagarto.

Descifrar el pasado

Todavía hoy hay escrituras pictográficas antiguas sin descifrar. Una sofisticada escritura del norte de la India de hace 4.000 años tiene más de 400 signos diferentes; aún no se sabe su significado. Pero, gracias a un brillante y joven descifrador, podemos leer y entender la más misteriosa de todas las escrituras antiguas: los jeroglíficos egipcios.

LA CLAVE DE EGIPTO

Ve a Egipto en la actualidad y verás los restos de una gran civilización a tu alrededor. Enormes pirámides y templos se yerguen en el desierto y los museos están llenos de artefactos. Sabemos mucho sobre los antiguos egipcios, pero hasta no hace mucho había un hueco en nuestro conocimiento: no se podía leer su escritura. El desciframiento de los jeroglíficos egipcios es uno de los más grandes logros en la historia de los desciframientos.

El misterio de los jeroglíficos

En el siglo XVIII los europeos que visitaban Egipto quedaban asombrados ante los fabulosos restos de una civilización ya desaparecida. Pero no podían leer su extraña escritura de dibujos. A estos dibujos se les llamó jeroglíficos, palabra griega que significa "grabados sagrados".

Todo conocimiento sobre los jeroglíficos se perdió durante 1.400 años, de forma que los eruditos sólo podían

LOS JEROGLÍFICOS SE
DESARROLLARON HACIA EL 3100
A.C. Y SE USARON MÁS O
MENOS HASTA EL 600 D.C.

**LA PIEDRA DE
ROSETTA**

EL DEMÓTICO ERA UNA
FORMA ABREVIADA DE
LOS JEROGLÍFICOS
DESARROLLADA HACIA
EL 600 A.C.

EL GRIEGO ANTIGUO SÍ
PODÍA LEERSE. SE
COMPARARON LOS
NOMBRES DE LOS REYES
ESCRITOS EN GRIEGO CON
SUS CORRESPONDIENTES
JEROGLÍFICOS.

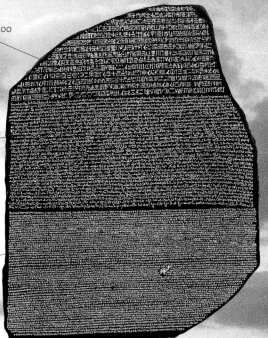

especular sobre su significado.
Supusieron que cada dibujo
representaba una palabra o una
idea. Por ejemplo, el jeroglífico
de un halcón, un ave rápida,
significaba "velocidad". Pero
sólo eran conjeturas. Todo
vínculo con el lenguaje de los
faraones se había perdido.

La Piedra de Rosetta

En 1799 el ejército francés
ocupó Egipto y entonces se
hizo un importante
descubrimiento que desvelaría
el misterio de los jeroglíficos.
Las tropas que había en
Rosetta, un pueblo del delta del
Nilo, desenterraron una gran

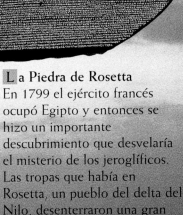

JEAN-FRANÇOIS CHAMPOLLION FUE EL GENIO QUE DESCRIFRÓ LOS JEROGLÍFICOS. EL ESFUERZO ARRUINÓ SU SALUD Y MURIÓ CON SÓLO 41 AÑOS.

losa de color negro que pesaba tres cuartos de tonelada. Tenía tres clases de escritura grabadas en ella. Las primeras 14 líneas eran de escritura jeroglífica. Luego había 32 líneas en una escritura extraña llamada demótico, usada por los escribas del antiguo Egipto para asuntos cotidianos; era una forma cursiva y abreviada de los jeroglíficos. Por fortuna, las 54 últimas líneas estaban escritas en griego antiguo. Los eruditos leyeron

enseguida el griego y descubrieron que la piedra se había grabado en el 196 AC como tributo al faraón Ptolomeo V de parte de unos sacerdotes que le agradecían favores. Se dedujo que los textos jeroglífico y demótico contenían el mismo mensaje.

LOS JEROGLÍFICOS ERAN MUY DIFÍCILES DE DIBUJAR. ACABARON USÁNDOSE SÓLO PARA FINES FORMALES.

22

Pero antes de emprender el desciframiento, los franceses fueron derrotados por los ingleses y se vieron obligados a entregarles la piedra. Esta es la razón por la que la Piedra de Rosetta está hoy en el Museo Británico de Londres, en donde la puedes ver en la actualidad.

Primeros intentos

El primer intento fue el de Thomas Young (1773–1829), un niño prodigio inglés y genio en muchas materias. Leía con 2 años y a los 14 comprendía doce lenguas. En 1814 se llevó a sus vacaciones una copia de la Piedra de Rosetta. Estudió un grupo de jeroglíficos rodeados por un óvalo o cartucho. Adivinó que contenían algo importante, posiblemente el

o sonidos individuales, como en un alfabeto moderno. Él creyó el punto de vista tradicional de que la mayoría de los jeroglíficos representaban palabras enteras o ideas. Young no era muy bueno en terminar lo que empezaba y pronto se cansó.

PTOLOMEO EN JEROGLÍFICO

PTOLOMEO EN DEMÓTICO

CURIOSIDADES

YOUNG DESTACÓ EN MUCHOS CAMPOS, COMO LA ÓPTICA. COLOCÓ AROS METÁLICOS ENTORNO A UN OJO HUMANO Y PROBÓ QUE ERA LA LENTE INTERNA LA QUE HACÍA EL ENFOQUE Y NO TODO EL OJO.

ΠΤΟΛΕΜΑΙΟΣ

PTOLOMEO EN GRIEGO

El genio frágil

Quien acabó descifrando este código fue un francés, Jean-François Champollion (1790–1832). También era un niño prodigio. Se había obsesionado con los jeroglíficos desde muy joven y había aprendido 12 lenguas antiguas para prepararse para el reto que suponía enfrentarse al desciframiento de los

nombre de Ptolomeo, pues aparecía también en el texto griego. Lo que Young no imaginó fue que ciertos jeroglíficos representaban letras

dibujos. Entre las lenguas que aprendió estaba el copto, que empleaba el alfabeto griego. Esta lengua la introdujo la iglesia, cuando Egipto se hizo cristiano en los primeros siglos de nuestra era.

Estudiando diferentes juegos de inscripciones, encontró los jeroglíficos de tres nombres: Ptolomeo, Cleopatra, la famosa reina, y Alejandro, que conquistó Egipto en el 332 a.C.

Pero todos estos nombres, ya conocidos hacía mucho, eran de gobernantes griegos de Egipto. Ninguno era realmente egipcio. Champollion aún seguía sin saber nada sobre la antigua lengua de los egipcios.

La pronunciación

El descubrimiento importante de Champollion llegó en 1822, cuando estudiaba una piedra grabada del templo de Abu Simbel. Este templo data de la

representaban a la letra "S". El primer símbolo era un disco que representaba al dios sol. Con gran inspiración supuso

ESTOS SON LOS JEROGLÍFICOS DEL FARAÓN RAMSÉS II. ERA MENCIONADO EN HISTORIAS GRIEGAS, PERO NADIE CONOCÍA SU GRANDEZA HASTA QUE SE DESCIFRÓ SU NOMBRE EN ABU SIMBEL.

que el disco representaba la palabra copta para el sol, la sílaba "RA". Ya tenía "RA–SS". Dedujo que la letra que le faltaba era la "M". También dedujo que los escribas habían suprimido las vocales, como se hacía en otras lenguas antiguas. Si las vocales que faltaban eran la "E", el cartucho se podía deletrear como "RA-M-E-S-E-S", uno de los

CHAMPOLLION SE DESMAYABA SI TRABAJABA DEMASIADO

edad de oro del antiguo Egipto, mucho antes de la dominación griega. Champollion observó un cartucho que contenía cuatro jeroglíficos. Los dos últimos símbolos eran los mismos y él sabía que

más grandes faraones. "¡Ya lo tengo!", gritó Champollion. Demasiada excitación. Se desmayó y tuvo que pasarse cinco días en cama.

Una lengua resucita

Champollion había descifrado el código. No sólo había descubierto que los jeroglíficos eran una mezcla de palabras enteras y letras individuales, sino que el antiguo egipcio y el copto eran una sola lengua. En dos años fue capaz de descifrar y leer casi todos los jeroglíficos. Ya era posible leer lo que escribieron los egipcios y también escuchar la lengua que empleaban. Tras 1.400 años de silencio, una antigua civilización volvía a hablar.

DOS DE LAS CUATRO ESTATUAS COLOSALES DE RAMSÉS II, QUE ESTÁN EN PIE EN EL TEMPLO DE ABU SIMBEL.

GUERRA E INTRIGA

La historia del crear y descifrar códigos secretos es tan vieja como la guerra y la diplomacia. Reyes, reinas y emperadores querían proteger sus secretos de estado y los generales transmitir órdenes con seguridad. Pero cada vez que los creadores de códigos inventaban un sistema para ocultar la información, los descifradores se lanzaban a romper el código.

EL MENSAJERO ESPARTANO CAMUFLABA LA CINTA COMO CINTURÓN O PARTE DE LA ARMADURA.

EL MENSAJE SÓLO PODÍA SER LEÍDO POR ALGUIEN QUE TUVIERA UNA ESCÍTALA DEL MISMO TAMAÑO.

La vara secreta

Hace más de 2.500 años se creó un primitivo código militar en la antigua Grecia, región que estaba en constante estado de guerra. Una belicosa ciudad-estado llamada Esparta siempre estaba en lucha con sus vecinos. Para enviar y recibir información militar en secreto los espartanos crearon la "vara secreta". Se trataba de la escítala, una vara de madera de muchas caras, en la que se enrollaba una cinta de cuero.

El mensaje se escribía en la cinta a lo largo de cada cara de la escítala. Cuando se desenrollaba la cinta, la larga tira de letras no tenía ningún sentido. El mensajero llevaba la cinta de cuero al comandante, quien volvía a enroscarla en su escítala para leer el mensaje. Sólo una persona con una escítala del mismo tamaño podía leer el mensaje. Gracias a este simple pero efectivo sistema se ganaron importantes batallas.

JULIO CÉSAR FUE UNO DE LOS MÁS BRILLANTES GENERALES DE LA HISTORIA. SU CÓDIGO LE DIO VENTAJA ESTRATÉGICA SOBRE LOS ENEMIGOS DE ROMA.

Sopa de letras espartana

En la clave de la escítala espartana las letras individuales son traspuestas o desordenadas. Estas claves de trasposición son en realidad sólo letras revueltas o anagramas. Deshaz el revoltijo y habrás descifrado el mensaje. El mensaje que hay que codificar se llama texto claro. En época actual el texto claro se escribe siempre sin mayúsculas y el texto cifrado siempre en MAYÚSCULAS.

La variación de César

Una forma más ingeniosa de cifrado es la sustitución, mediante la cual una letra individual es sustituida por otra letra. El más famoso de estos sistemas es la variación de César, que fue empleada por el gran dictador romano Julio César (100–44 c.C.). El principio de este sistema es sencillo. Cada letra del alfabeto

CURIOSIDADES

HAY MÁS DE 400.000.000.000.000.000. 000.000.000 (400 CUATRILLONES) DE FORMAS DIFERENTES DE CAMBIAR EL ALFABETO DE UN TEXTO CLARO PARA HACER UN ALFABETO CIFRADO.

es sustituida por otra letra tres, cuatro o más puestos más adelante en el orden del alfabeto. Una variación César de cuatro puestos sustituye la "a" por la E, la "b" por la F, etc. Si escribes ZIRM ZMHM ZMGM no tiene sentido. Pero si retrocedes cuatro puestos cada letra, aparece con claridad

secreto. Cualquiera podía capturar el mensaje y adivinar la clave; descifrar el mensaje no le iba a costar más que buscar entre las 27 variaciones posibles (una por cada letra del alfabeto). La repetición de ciertos grupos de letras como IO o OEW en un mensaje cifrado puede sugerir palabras de uso muy

EN LA BAGDAD DEL S. IX SE PODÍA APRENDER CUALQUIER COSA, DESDE ASTRONOMÍA HASTA CRIPTOGRAFÍA.

la famosa frase latina de César: *veni, vidi, vici* ("vine, vi y vencí").

F ácil de resolver

Pero Julio César (y los que escriben su diario personal con este tipo de clave) no podía estar seguro de que los mensajes cifrados con claves de sustitución permanecieran en

frecuente como los artículos "el" o "las", o preposiciones, conjunciones, etc. El descifrador puede presuponer a cuáles se corresponden algunas de ellas e ir rellenando huecos hasta dar con todas.

L a ciencia del secreto

Quienes convirtieron el duro arte de fabricar códigos en una verdadera ciencia fueron los árabes. Con base en Bagdad (en el actual Iraq), capital de la dinastía abásida, establecieron un poderoso imperio, en donde florecieron el comercio y la cultura. Desarrollaron un eficaz sistema administrativo y para

claves de sustitución, usando signos como + o como # en lugar de letras. Trabajando a la par que ellos, los descifradores aprendían nuevas habilidades para romper los códigos.

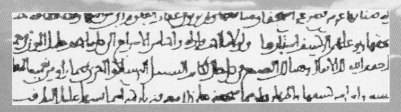

FRAGMENTO DEL FAMOSO MANUSCRITO DE AL-KINDI SOBRE EL DESCIFRAMIENTO DE MENSAJES EN CLAVE.

mantener sus archivos en secreto los ponían en clave.

Los administradores seguían las normas establecidas en el *Adab al-Kuttab* (*Manual de los secretarios*), un libro del siglo X con capítulos sobre criptografía. Al principio, los codificadores empleaban sencillas claves de transcripción. Después se aventuraron más e inventaron

Análisis de frecuencia

El descifrador árabe más importante fue el científico del siglo IX Abu Yusuf Ya'qub ibn Is-haq ibn as-Sabbah ibn 'omran ibn Ismail al-Kindi, conocido como "el filósofo de los árabes", o como al-Kindi para abreviar. Escribió 290 libros sobre medicina, astronomía, matemáticas y otros temas, incluido el *Manuscrito sobre el desciframiento de mensajes en clave*.

En el libro hace la sencilla observación de que una buena forma de descifrar un mensaje codificado, si uno conoce la lengua en la que está escrito, es coger una página de un libro escrito en la misma lengua y ver cuáles son las letras más usadas. En español, las letras más usadas son las vocales (e, a, o) y de las consonantes s, r, n. Luego se observa el mensaje

CURIOSIDADES

LAS PRIMERAS INSTITUCIONES EUROPEAS QUE ESTUDIARON CRIPTOANÁLISIS FUERON LOS MONASTERIOS, DONDE LOS MONJES ESTUDIABAN LA BIBLIA BUSCANDO EN ELLA SIGNIFICADOS OCULTOS.

codificado, se busca el símbolo usado con más frecuencia, que, si el mensaje está escrito en español probablemente representa a la letra e. Después se busca el segundo signo más usado y así se recorre todo el alfabeto, utilizando lo que se llama análisis de frecuencia, hasta lograr clarificar el mensaje.

L a prima cruel

Si María, reina de Escocia, hubiera sabido algo sobre análisis de frecuencia, la historia de Gran Bretaña habría sido diferente. María, de religión católica, se convirtió en reina de Escocia en 1542. Cayó en desgracia ante los nobles escoceses en 1568 y se marchó a Inglaterra, en donde esperaba que su prima, la reina Isabel I, le diera un hogar. Fue un terrible error. Isabel, de

MARÍA ESTUVO PRISIONERA DURANTE 18 AÑOS EN DISTINTOS CASTILLOS. FUE UNA PRISIONERA PRIVILEGIADA Y SE LE PERMITÍAN CIERTAS LIBERTADES.

religión protestante, vio en ella un peligro y la hizo prisionera.

S e forja el complot

Desde la prisión María tramó asesinar a Isabel y hacerse con el control de Inglaterra. Escribió cartas en clave a su principal valedor, Anthony Babington. Su clave empleaba 23 símbolos que sustituían a letras del alfabeto (excepto j, v, w) y 36

LAS LÍNEAS DE PHELIPPES AÑADIDAS AL FINAL DE LA CARTA DE MARÍA PEDÍAN A SU CONFIDENTE QUE REVELARA LOS NOMBRES DE LOS REBELDES.

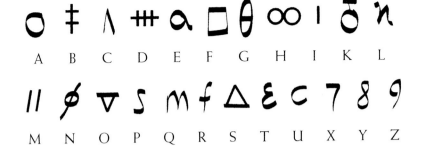

símbolos que representaban palabras completas. Pero sus cartas fueron abiertas por los espías de Isabel y se las pasaron a Thomas Phelippes, un experto descifrador. Phelippes descifró los mensajes con el análisis de frecuencia. María no sospechó nada. Las cartas revelaban lo que ella tramaba, pero no los nombres de los otros conspiradores.

LA CLAVE DE MARÍA USABA UN ALFABETO CODIFICADO Y PALABRAS DE SUSTITUCIÓN.

sospechar la trampa, contestó enviando los nombres.

Los conspiradores fueron arrestados y condenados a muerte. María fue juzgada por

Tender una trampa

Astutamente, Phelippes añadió unas pocas líneas a una de las cartas de María, imitando su letra. En ellas preguntaba a Babington los nombres de los otros conspiradores. Luego la carta fue enviada y Babington, sin

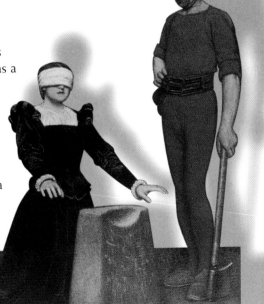

MARÍA TERMINÓ DECAPITADA BAJO ACUSACIÓN DE TRAICIÓN.

LA TABLA DE VIGENÈRE PERMITÍA CIFRAR
UN TEXTO CON 26 ALFABETOS DIFERENTES.

	a	b	c	d	e	f	g	h	i	j	k	l	m	n	o	p	q	r	s	t	u	v	w	x	y	z
1	B	C	D	E	F	G	H	I	J	K	L	M	N	O	P	Q	R	S	T	U	V	W	X	Y	Z	A
2	C	D	E	F	G	H	I	J	K	L	M	N	O	P	Q	R	S	T	U	V	W	X	Y	Z	A	B
3	D	E	F	G	H	I	J	K	L	M	N	O	P	Q	R	S	T	U	V	W	X	Y	Z	A	B	C
4	E	F	G	H	I	J	K	L	M	N	O	P	Q	R	S	T	U	V	W	X	Y	Z	A	B	C	D
5	F	G	H	I	J	K	L	M	N	O	P	Q	R	S	T	U	V	W	X	Y	Z	A	B	C	D	E
6	G	H	I	J	K	L	M	N	O	P	Q	R	S	T	U	V	W	X	Y	Z	A	B	C	D	E	F
7	H	I	J	K	L	M	N	O	P	Q	R	S	T	U	V	W	X	Y	Z	A	B	C	D	E	F	G
8	I	J	K	L	M	N	O	P	Q	R	S	T	U	V	W	X	Y	Z	A	B	C	D	E	F	G	H
9	J	K	L	M	N	O	P	Q	R	S	T	U	V	W	X	Y	Z	A	B	C	D	E	F	G	H	I
10	K	L	M	N	O	P	Q	R	S	T	U	V	W	X	Y	Z	A	B	C	D	E	F	G	H	I	J
11	L	M	N	O	P	Q	R	S	T	U	V	W	X	Y	Z	A	B	C	D	E	F	G	H	I	J	K
12	M	N	O	P	Q	R	S	T	U	V	W	X	Y	Z	A	B	C	D	E	F	G	H	I	J	K	L
13	N	O	P	Q	R	S	T	U	V	W	X	Y	Z	A	B	C	D	E	F	G	H	I	J	K	L	M
14	O	P	Q	R	S	T	U	V	W	X	Y	Z	A	B	C	D	E	F	G	H	I	J	K	L	M	N
15	P	Q	R	S	T	U	V	W	X	Y	Z	A	B	C	D	E	F	G	H	I	J	K	L	M	N	O
16	Q	R	S	T	U	V	W	X	Y	Z	A	B	C	D	E	F	G	H	I	J	K	L	M	N	O	P
17	R	S	T	U	V	W	X	Y	Z	A	B	C	D	E	F	G	H	I	J	K	L	M	N	O	P	Q
18	S	T	U	V	W	X	Y	Z	A	B	C	D	E	F	G	H	I	J	K	L	M	N	O	P	Q	R
19	T	U	V	W	X	Y	Z	A	B	C	D	E	F	G	H	I	J	K	L	M	N	O	P	Q	R	S
20	U	V	W	X	Y	Z	A	B	C	D	E	F	G	H	I	J	K	L	M	N	O	P	Q	R	S	T
21	V	W	X	Y	Z	A	B	C	D	E	F	G	H	I	J	K	L	M	N	O	P	Q	R	S	T	U
22	W	X	Y	Z	A	B	C	D	E	F	G	H	I	J	K	L	M	N	O	P	Q	R	S	T	U	V
23	X	Y	Z	A	B	C	D	E	F	G	H	I	J	K	L	M	N	O	P	Q	R	S	T	U	V	W
24	Y	Z	A	B	C	D	E	F	G	H	I	J	K	L	M	N	O	P	Q	R	S	T	U	V	W	X
25	Z	A	B	C	D	E	F	G	H	I	J	K	L	M	N	O	P	Q	R	S	T	U	V	W	X	Y
26	A	B	C	D	E	F	G	H	I	J	K	L	M	N	O	P	Q	R	S	T	U	V	W	X	Y	Z

Palabra clave: ROSAL

ROSALROSALROSALROSALROSALROSAL

Texto claro: ELENEMIGOATACARAHOYALANOCHECER

Texto cifrado: VZWNPDWYOLKOUACRVGYLCOFONYSUEC

traición y decapitada el 8 de febrero del año 1587.

A vances en los códigos

María no sabía que podía haber empleado otros códigos más avanzados. La criptografía realizaba grandes progresos, gracias a los avances de los creadores de códigos.

El más famoso de éstos fue el arquitecto italiano Leon Battista Alberti (1404-1472), que hacia 1460 inventó una forma de clave de sustitución usando al mismo tiempo dos alfabetos clave distintos. Por ejemplo, en una palabra de cinco letras, la primera, la tercera y la quinta

Luego dispuso una clave diferente para cada fila numerada, comenzando en la fila 1 con la B y terminando en la fila 26 con la A. La tabla es en realidad un conjunto de variaciones César, con la primera fila avanzando una letra en el orden del alfabeto, la segunda dos letras, etc. Esto significaba que cada letra podía cifrarse empleando una fila diferente; el orden de las filas venía determinado por una palabra clave.

CONÉCTATE www.eurologic.es /cifrado.htm

EL INVENTOR CHARLES BABBAGE DESCIFRÓ LA CLAVE DE VIGENÈRE

se cifraban empleando el primer alfabeto; para cifrar las letras segunda y cuarta se empleaba el segundo alfabeto.

U na clave en un cuadrado

Cincuenta años después, un diplomático francés, Blaise de Vigenère (1523-1596) dio un paso más e ideó un código de 26 alfabetos, que puso en una tabla. En la parte superior de la tabla escribió el alfabeto del texto claro. De arriba abajo, a la izquierda, los números 1—26.

L a palabra clave

La tabla de Vigenère era una clave muy inteligente. Coge una palabra, por ejemplo ROSAL, como palabra clave, y escríbela una y otra vez todo seguido ROSALROSALROSALROSAL. Luego escribe debajo el mensaje del texto claro. La primera letra del mensaje debe cifrarse empleando la fila 17, pues la palabra clave empieza por R; la segunda, usando la fila 14, que corresponde a la letra O, la tercera con la 18 = S, etcétera.

33

EN LA PELÍCULA "EL HOMBRE DE LA MÁSCARA DE HIERRO", CON LEONARDO DICAPRIO, EL PRISIONERO ES EL HERMANO GEMELO DEL REY.

Como es una palabra clave de cuatro letras, sólo se emplean cuatro filas. Una palabra más larga emplea más filas. Como el que hace el código y el que lo resuelve conocen la palabra clave, el mensaje puede ser cifrado y descifrado con facilidad. Sin palabra clave no hay solución posible.

El hombre de la máscara de hierro
Más difícil de descifrar que la tabla de Vigenère era el ifrador personal de Luis XIV de

Francia (reinó entre 1643 y 1715). Empleaba diferentes números para representar a cada una de las sílabas posibles. Un descifrador se enfrentaba entonces con cientos de números sin sentido.

La clave de Luis permaneció secreta hasta 1890, cuando un descifrador del ejército francés llamado Étienne Bazeries la descubrió. Empleó el análisis de frecuencia para deducir qué grupos de números representaban a las sílabas francesas más corrientes.

Una carta secreta arrojó luz sobre un famoso misterio: la cobardía del general Vivien de Bulonde, que abandonó a sus tropas durante una batalla. La carta decía: *Su majestad desea que arrestéis inmediatamente al general Bulonde y que hagáis que sea conducido a la fortaleza de Pignerole, en donde será encerrado en una celda con vigilancia nocturna. Durante el día se le permitirá ir a las almenas* negra y allí los descifradores derretían los sellos de los sobres y copiaban las cartas codificadas antes de volver a sellarlas y enviarlas a su lugar. El correo diplomático de salida recibía el mismo tratamiento: cientos de cartas eran abiertas,

LAS CÁMARAS NEGRAS NO ENTORPECÍAN EL HORARIO POSTAL

oculto tras una máscara.

¿Te suena lo del prisionero de la máscara? La próxima vez que veas la película de diCaprio recuerda que los descifradores probablemente identificaron al auténtico enmascarado hace más de un siglo.

Las cámaras negras
Hacia 1700 los gobernantes de Europa organizaron a sus descifradores en lo que se llamó cámaras negras. Aquí, la correspondencia diplomática extranjera era interceptada y los secretos que contuviera pasaban al gobierno. La más eficiente de estas cámaras estaba en Viena, capital del Imperio austríaco. Las cartas de toda Europa dirigidas a las embajadas en Viena se enviaban a la cámara

inspeccionadas y descifradas. Este sistema era valioso para el emperador y daba beneficios, pues se vendían secretos a los países aliados.

LA CÁMARA NEGRA VIENESA ABRIÓ Y VOLVIÓ A SELLAR CORREO DIPLOMÁTICO SIN LEVANTAR SOSPECHA ALGUNA.

LA LENGUA CÓDIGO

E l 26 de julio de 2001 a cinco ancianos nativos americanos se les concedió la Medalla de oro del Congreso (uno de los galardones más importantes en EE.UU.). Eran los únicos supervivientes de un grupo de hombres, cuya habilidad para hablar una lengua muy extraña los convirtió en creadores de códigos. Ellos cambiaron el curso de la Segunda Guerra Mundial.

América entra en guerra

El 7 de diciembre de 1941 los aviones japoneses atacaron a la flota americana en Pearl Harbor, Hawai. Los americanos se encontraron combatiendo a los japoneses en el Pacífico, a lo largo de miles de millas de océano y cientos de pequeñas islas.

Por esa época todas las comunicaciones americanas se cifraban con la SIGABA (o M-143-C). Esta máquina era buena cifrando y descifrando mensajes, pero era muy lenta e incómoda para trabajar.

EL RECONOCIMIENTO DEL HEROÍSMO NAVAJO TARDÓ EN LLEGAR, PERO HOY LOS NAVAJO ESTÁN ENTRE LOS MÁS FAMOSOS HÉROES DE GUERRA.

Los problemas de la SIGABA

El mensaje de salida debía ser tecleado, letra por letra, en la máquina y luego cada letra cifrada anotada a mano una por una. Después, se pasaba todo el mensaje cifrado a un operador de radio, que lo transmitía.

Otro operador de radio recibía el mensaje y lo anotaba a mano. Luego se lo pasaba a un operador de códigos, que lo tecleaba en su propia máquina SIGABA para descifrarlo.

Sin sitio para la máquina

Este complicado procedimiento aseguraba que los códigos secretos americanos no fueran descifrados por los japoneses. Pero requería 30 minutos para cifrar y descifrar el mensaje, espacio para colocar todo el equipo y un equipo de operadores de radio y de expertos en códigos que tenía que acompañar a cada unidad de combate.

Las tropas americanas a menudo luchaban cuerpo a cuerpo con los japoneses en terribles condiciones de selva. Las tropas debían tener movilidad y no tenían tiempo ni espacio para usar la máquina de cifrado. Enviar mensajes sin codificar era muy peligroso. Algunos soldados japoneses hablaban muy bien inglés y podían comprender los mensajes. El problema exigía una solución inusual y rápida.

La tribu elegida

El hombre que resolvió el problema fue Philip Johnston, un ingeniero. Vivía en Los Angeles, pero cuando era niño

LA ROCA VENTANA ESTÁ EN EL CORAZÓN DE LA TIERRA NAVAJO, EN ARIZONA.

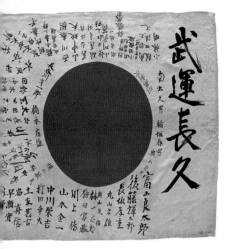

MUCHOS SOLDADOS JAPONESES PREFERÍAN MORIR A SER CAPTURADOS. ALGUNOS SE ATABAN A SUS CABEZAS DURANTE LA BATALLA BANDERAS DE PLEGARIAS COMO ÉSTA.

se dio cuenta de que si sus propios colegas americanos no la podían entender, tampoco lo harían los japoneses.

Los nuevos reclutas

Johnston sugirió que parejas de nativos navajo fueran con cada batallón de combate como operadores de radio para enviar y recibir mensajes en su propia lengua.

Al gobierno americano le gustó la idea, pues el navajo era una de las pocas lenguas tribales que nunca había sido estudiada por escolares y era prácticamente desconocida fuera de la reserva. Cuatro meses después de Pearl Harbor, 29 nativos navajo comenzaron un curso de entrenamiento de ocho semanas con los marines.

había crecido en una reserva navajo de Arizona. Los navajo eran una tribu, en tiempos belicosa, de nativos americanos que hacia 1860 fue instalada por el gobierno de los Estados

¡LOS AMERICANOS PENSARON QUE EL NAVAJO ERA JAPONÉS!

Unidos en una gran reserva, en donde cultivaban y criaban animales. La lengua navajo es exclusiva de ellos, no tiene relación con ninguna lengua europea o asiática. Es muy compleja y tremendamente difícil de comprender.

Johnston la había aprendido y

¿Cómo se dice bomba?

Pero había un problema. El navajo usaba palabras para todo lo que sus hablantes conocían y veían, como pájaros o peces, pero no tenían términos para aquello que nunca habían experimentado, como aviones de combate o submarinos.

38

Hicieron una lista de 274 palabras de este tipo y se les atribuyó un término alternativo en navajo. A los barcos les pusieron nombres de peces y a los aviones de pájaros. Las bombas se convirtieron en "huevos", los morteros (cañones) eran "armas que se agachan" y un escuadrón del ejército era la "oveja negra".

Crece el vocabulario

Enseguida se añadieron 234 palabras a la lista original, incluyendo nombres de países. América se convirtió en "nuestra madre", Gran Bretaña en "entre aguas", Alemania en "gorro de hierro". Para los nombres de personas y lugares emplearon un alfabeto de palabras para cada letra: Tokio, capital de Japón, se

CONÉCTATE
www.history.navy.mil/
faqs/faq61-4.htm

DOS OPERADORES NAVAJO TRABAJAN EN PLENA SELVA CON EL ENEMIGO MUY CERCA.

convirtió en algo como "Turquía, Oso, Kilo, Yeso, Oso", en navajo: *Than-zie, ne-ahs-jsh, klizzie-yazzi, tsah-as-zih, ne-ahs-jsh.*

Para evitar la repetición de letras comunes, como e, t, a, o, i, n, que habrían dado pistas vitales a los descifradores japoneses, se usaron palabras "suplentes" como alternativas: la segunda "o" de Tokio podía pasar a ser "ojo" (*a-kha*) u "ostra" (*tlo-chin*).

Barrera de lenguaje

El sistema tuvo un mal comienzo, pues los operadores de señales americanos no se dieron cuenta de que tenían a nativos navajo trabajando con ellos. ¡Pensaron que los japoneses estaban transmitiendo en la frecuencia del ejército americano!

Pero pronto el uso del navajo como código se convirtió en el sistema soñado. Lo que antes llevaba 30 minutos ahora se hacía en 20 segundos. La inteligencia naval americana no entendía nada de lo que se transmitía. Ni tampoco los japoneses, que debieron quedarse sorprendidos de que sus frecuencias se llenaran de peces de hierro (submarinos), colibríes (aviones de combate) y

ESTA ESTATUA EN WASHINGTON D.C. CONMEMORA LA BATALLA DE IWO JIMA.

LA PALABRA EN CÓDIGO NAVAJO PARA AVIÓN DE COMBATE ERA "COLIBRÍ". ESTE MUSTANG P-51 ERA UNO DE LOS MEJORES AVIONES DE COMBATE AMERICANOS.

tiburones (desctructores), en navajo: *da-he-tih-hi*, *besh-lo* y *ca-lo*.

La victoria de Iwo Jima

Conforme las tropas americanas avanzaban atravesando el Pacífico hacia Japón, el papel de los expertos navajo crecía en importancia. En febrero-marzo de 1945, en los primeros días de la batalla de Iwo Jima, al sur del Japón, se enviaron unos 800 mensajes en navajo, todos sin errores. Más de 21.000 soldados japoneses y 6.000 americanos murieron en Iwo Jima. Fue una de las batallas más sangrientas de la guerra y muchos creyeron que la isla no podría haber sido tomada sin los codificadores navajo. Ellos dieron al ejército americano una ventaja crucial frente a un enemigo más decidido.

Gracias atrasadas

Después de la guerra, a los navajo se les prohibió hablar de su papel. Su código siguió siendo información secreta y su heroísmo cayó en el olvido.

CURIOSIDADES

ANTES DE LA GUERRA, A LOS NIÑOS NAVAJO SE LES CASTIGABA POR HABLAR SU LENGUA. LOS PROFESORES DE INGLÉS LES SOLÍAN LAVAR LA BOCA CON JABÓN.

Poco a poco fueron recibiendo el reconocimiento que merecían y en 1982 el gobierno americano hizo del 14 de agosto el día de los codificadores navajo. Pero el mayor orgullo para ellos es que su código es uno de los pocos códigos de la historia que jamás han sido descifrados.

SEÑALES EN CÓDIGO

Enviar un mensaje codificado de una persona a otra suele requerir algo que conecte a ambas. Esto puede ser una carta enviada por correo o una señal emitida por radio. Si estas conexiones físicas no existen, ¿cómo va a ser emitido tu mensaje? Durante siglos la gente ideó soluciones a este problema empleando señales de humo o bien banderas, barriles y cestos.

Señales de humo

En el siglo XIX los vigías de las tribus indias advertían de la cercanía de enemigos enviando una nube de humo. Rachas rápidas de humo significaban que el enemigo estaba bien armado y era numeroso. Las señales de humo dependían del buen tiempo, pero servían para que las tribus estuvieran en contacto en grandes áreas de

ESTA PINTURA MUESTRA A NATIVOS AMERICANOS EMPLEANDO UNA MANTA PARA SEPARAR CADA NUBE DE HUMO.

LA SEÑAL DE HUMO ES MÁS RÁPIDA QUE UN MENSAJERO

llanura y pradera sin tener que enviar un mensajero.

Agitar una bandera

No sólo por tierra han necesitado las personas enviar señales en la distancia.

Si eres marinero, la forma más fácil y rápida de enviar señales visuales es agitar una bandera. Algunas banderas representan letras del alfabeto y otras números. Esto quiere decir que los mensajes largos

ESTA BANDERA INDIVIDUAL REPRESENTA AL NÚMERO DOS.

requieren muchas banderas. Para ahorrar tiempo, se puede agitar una única bandera para un mensaje concreto, como "necesito asistencia médica" o "hay fuego y llevo mercancía peligrosa a bordo, ¡despejad todo!".

Distintas combinaciones de las banderas o sus posiciones en diferentes mástiles alteran también los significados.

Palabras sin bandera

En la batalla de Trafalgar en 1805 se necesitaron 31 banderas para que el almirante inglés Lord Nelson comunicara a sus marineros que *Inglaterra*

SI VES ESTA BANDERA, TIENES QUE ACTUAR, PUES SIGNIFICA "CORRES GRAN PELIGRO".

espera que cada hombre cumpla con su deber. Aunque ningún hombre hubiera obedecido, al menos el oficial de banderas del barco se ganó el sustento ese día, pues "deber" no aparecía en el diccionario de banderas de Nelson y tuvo que ser transmitido con un código diferente y más viejo.

Código internacional

El uso de banderas en el mar se remonta a las batallas entre griegos y persas en el siglo V a.C. La primera bandera diseñada para señales de la flota inglesa es de 1369. Durante los siglos XVII y XVIII la Marina Real británica estableció un código de banderas para letras y números. Los distintos sistemas que tenía la armada británica fueron sustituidos por uno solo en 1812. Pero cada país tenía su propio código de banderas y los demás no sabían descifrarlo.

Fue en 1900 cuando se estableció un Código Internacional de Señales. Hoy día las marinas, las flotas mercantes y los barcos de pesca del mundo utilizan el mismo código de banderas.

S emáforo

Una variante de las banderas de señales son las banderas semáforo. Se coge una en cada mano y se mueven a distintas alturas para las distintas letras del alfabeto. Aunque las banderas semáforo han sido reemplazadas hace tiempo por el teléfono y la radio, aún se usan como una forma rápida de enviar mensajes en el mar. Al igual que todas las señales con banderas y luces, la ventaja de las banderas semáforo es que no necesitan ondas de radio y no pueden ser escuchadas por

casualidad por el enemigo.

S eñales con luces

Los ejércitos y las marinas han usado siempre señales con antorchas o linternas. Pero pocos de estos sistemas servían para hacer señales durante el día por razones obvias.

Sin embargo, los antiguos persas tuvieron la idea de enviar mensajes empleando la luz del sol reflejada en la superficie pulida de los escudos. Esta era una versión primitiva del heliógrafo, un espejo montado sobre un trípode que debe ser usado en espacios abiertos.

Para ser efectivo a larga distancia el heliógrafo necesitaba recibir luz del sol brillante. Un obturador en el

ESTAS SEÑALES SEMÁFORO REPRESENTAN A LA LETRAS 'D' Y 'K'.

www.siemprescout.org /claves.html CONÉCTATE

espejo permitía que los mensajes se enviaran en código morse a una distancia que llegaba hasta los 35 km.

Antes de la llegada de la radio, el heliógrafo fue el principal sistema de transmisión del ejército británico en sus tareas de vigilancia de las fronteras del imperio. En los Estados Unidos el ejército lo empleó para contrarrestar la eficacia del sistema de señales de humo empleado por los nativos americanos en los estados del medio oeste.

EL FERROCARRIL AÚN EMPLEA UNA FORMA DE SEMÁFORO DE DOS BRAZOS. EL BRAZO LEVANTADO SIGNIFICA "TODO DESPEJADO".

CURIOSIDADES
LOS HELIÓGRAFOS FUERON SUSTITUIDOS POR LÁMPARAS DE SEÑALES EN LAS QUE CAL VIVA ARDÍA AL APLICARLE OXÍGENO. ESTA LÁMPARA DABA UN POTENTE RESPLANDOR, IDEAL PARA USARSE EN EL TEATRO.

significado preestablecido, que podía ser "leído" por los colegas revolucionarios a varios kilómetros. El enemigo no tenía idea

Un barril de significado
En ciertas situaciones desesperadas la gente ha improvisado códigos de comunicación. Hacia 1770 y en su guerra de independencia los americanos burlaban a los casacas rojas británicos izando en un poste un barril, un cesto y una bandera. El orden de los elementos en el poste tenía un

del significado de este código, ni de que un gran ejército estaba a punto de atacarlos.

En la guerra, el poder de un código puede ser tan importante como el poder de un ejército.

NÚMEROS SECRETOS

U na de las formas más comunes de código es el de los números. Los números son esenciales. Se usan para registrar todo tipo de datos, desde el dinero corriente hasta los resultados deportivos. Pero los números pueden sustituir a las letras en códigos, que son muy difíciles de descifrar. Hay dos códigos numéricos muy famosos: uno llevaba a un tesoro, otro a la guerra.

T esoro escondido

En 1885 se publicó un breve panfleto en Lynchburg, Virginia (EE.UU.). Contenía: *declaraciones auténticas en relación con el tesoro enterrado en 1819 y 1821 cerca de Buford, en el condado de Bedford, Virginia, tesoro que nunca ha sido hallado.* Había tres largas listas de números: las claves de Beale.

La historia de este tesoro escondido es muy extraña, si es que es verdad. Se cuenta que un tal Thomas Beale se registró en un hotel de Lynchburg en enero de 1820 y se fue en primavera. Regresó en enero de 1822 y esta vez confió una caja de hierro bien cerrada al director del hotel, Robert Morriss.

A finales de año, Beale escribió a Morriss diciéndole que si nadie reclamaba la caja al cabo de diez años, él podía abrirla.

BEALE DEJÓ LAS CLAVES EN UNA CAJA CERRADA. TOMÓ MUCHAS PRECAUCIONES PARA CONSERVAR EN SECRETO LA LOCALIZACIÓN DEL ORO.

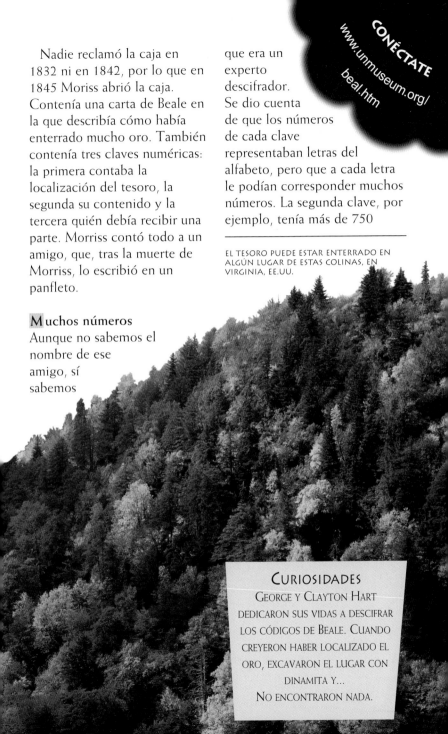

Nadie reclamó la caja en 1832 ni en 1842, por lo que en 1845 Moriss abrió la caja. Contenía una carta de Beale en la que describía cómo había enterrado mucho oro. También contenía tres claves numéricas: la primera contaba la localización del tesoro, la segunda su contenido y la tercera quién debía recibir una parte. Morriss contó todo a un amigo, que, tras la muerte de Morriss, lo escribió en un panfleto.

Muchos números

Aunque no sabemos el nombre de ese amigo, sí sabemos

CONÉCTATE
www.unmuseum.org/beal.htm

que era un experto descifrador. Se dio cuenta de que los números de cada clave representaban letras del alfabeto, pero que a cada letra le podían corresponder muchos números. La segunda clave, por ejemplo, tenía más de 750

EL TESORO PUEDE ESTAR ENTERRADO EN ALGÚN LUGAR DE ESTAS COLINAS, EN VIRGINIA, EE.UU.

CURIOSIDADES

GEORGE Y CLAYTON HART DEDICARON SUS VIDAS A DESCIFRAR LOS CÓDIGOS DE BEALE. CUANDO CREYERON HABER LOCALIZADO EL ORO, EXCAVARON EL LUGAR CON DINAMITA Y... NO ENCONTRARON NADA.

números que iban desde el 2 hasta el 1.005, muchos repetidos. Nuestro hombre supuso que la llave para descifrar las claves era un libro o un texto.

Pensamiento independiente
Después de examinar cientos de libros y escritos, descubrió que la Declaración de Independencia (uno de los textos americanos más famosos) era la llave de la segunda clave. Comenzaba *115, 73, 24*. La palabra 115 de la Declaración comenzaba por I, la 73 con H, la 24 con A, etc. Júntalo todo y el texto cifrado dice: *He depositado* (en inglés *I have deposited...*) *a unas cuatro millas de Buford, en una excavación o sótano, a seis pies bajo la superficie del suelo...oro y plata metidos en unas ollas de hierro con tapas de hierro.*
Enseguida los

LA DECLARACIÓN DE INDEPENDENCIA DESVELÓ LA SEGUNDA CLAVE. PERO, ¿QUÉ TEXTOS OCULTABAN LA PRIMERA Y LA TERCERA?

Escoge un libro
Las claves que usan un libro son muy inteligentes. Coge un texto muy conocido, como el Padrenuestro, y numera cada palabra. El número 1 representa la primera letra de la primera palabra, el 2 la primera letra de la segunda, etc. Todo lo que nuestro hombre debía hacer para descifrar la clave era encontrar el libro empleado.

buscadores de tesoros se pasaron por el pequeño pueblo de Buford y excavaron en un radio de cuatro millas. Pero hasta la fecha no se ha encontrado ningún tesoro y tampoco se han descubierto los textos base para descifrar las otras dos claves. ¿Habrá sido un engaño o un caso de hábil cifrado? Nadie lo sabe.

NADIE SABE SI EL ORO DE BEALE ESTÁ EN FORMA DE BARRAS, LINGOTES, GRANOS O PEPITAS, ¡SI ES QUE EXISTIÓ DE VERDAD!

El telegrama Zimmermann

En 1914 estalló en Europa la Primera Guerra Mundial. Los Estados Unidos no quisieron apoyar a ningún bando. Pero en enero de 1917 Alemania cambió su estrategia para forzar a su principal enemigo, Gran Bretaña, a rendirse. Decidió empezar una guerra de submarinos contra todos los barcos, incluidos los americanos, que suministraran comida a Gran Bretaña. Los alemanes pretendían vencer a los ingleses cortándoles los suministros. Ellos sabían que eso podía forzar a los Estados Unidos a declarar la guerra a Alemania, por lo que idearon un astuto plan.

El secretario de Asuntos Exteriores alemán, Arthur Zimmermann (1864–1940) pretendía animar a Méjico a que invadiera Estados Unidos y reclamara estados como Arizona o Tejas, que Méjico había perdido en el siglo XIX. Así los americanos se mantendrían lejos de la guerra de Europa. Zimmermann envió un telegrama al embajador alemán en Washington para que luego fuera transmitido a Méjico y así informar al gobierno mejicano del plan.

> ### CURIOSIDADES
> EL DIRECTOR DE LA INTELIGENCIA BRITÁNICA, EL ALMIRANTE HALL, DISTRAJO LA ATENCIÓN DEL DESCIFRAMIENTO DANDO A LA PRENSA UNA NOTA EN LA QUE CRITICABA EL FALLO DE LA INTELIGENCIA BRITÁNICA EN DESCIFRAR EL TELEGRAMA.

El agente secreto

El telegrama, que consistía en una larga lista de números de

ESTADOS UNIDOS

ARIZONA | NUEVO MÉJICO

TEJAS

MÉJICO

LOS ALEMANES QUERÍAN QUE MÉJICO RECLAMARA A ESTADOS UNIDOS ARIZONA, NUEVO MÉJICO Y TEJAS.

de tres, cuatro o cinco dígitos de largo, fue interceptado y enviado a la sala 40 del Almirantazgo, el corazón de la telegrama fue ofrecido a la prensa americana y conmocionó al público. El 2 de abril Estados Unidos declaraba

EL ALMIRANTAZGO, EN DONDE LOS DESCIFRADORES BRITÁNICOS DESVELARON EL CÓDIGO ALEMÁN.

EN ALEMANIA NO SE DIERON CUENTA DE NADA

inteligencia británica. Allí lo descifraron los especialistas e inmediatamente se dieron cuenta de su importancia. Pero no querían que los alemanes supieran que había sido descifrado, par evitar que crearan un código más difícil. Por eso, encargaron a un agente secreto británico en Ciudad de Méjico que consiguiera una copia descifrada del telegrama infiltrándose en la oficina mejicana de telégrafos.

En febrero de1917 el

la guerra a Alemania. Alemania se rindió el 11 de noviembre de 1918.

Los alemanes pensaron que el telegrama había sido robado al gobierno mejicano. Sólo hacia 1925 descubrieron que todos sus códigos de guerra habían sido descifrados por los ingleses. Quedaron tan horrorizados al descubrirlo, que se propusieron tener la máquina de cifrado más sofisticada. Ésta, como veremos, sí supuso un problema para los ingleses.

MÁQUINAS DE CIFRAR

Todos los códigos descritos hasta aquí han sido creados o descifrados por un hombre. Descifrar códigos uno mismo puede ser muy duro y requiere mucha concentración. Las máquinas pueden hacer lo mismo que los humanos más rápido y a menudo mejor. Con los años, se han creado muchas máquinas para cifrar y descifrar. Las primeras eran sólo discos que giraban. La más reciente es el ordenador.

LAS LETRAS Y NÚMEROS DEL CÍRCULO EXTERIOR DE ESTE DISCO DE CIFRADO PUEDEN ALINEARSE CON DIFERENTES LETRAS Y NÚMEROS DEL CÍRCULO INTERIOR.

Un eje de dos ruedas

La primera máquina de cifrado fue inventada por León Alberti, el arquitecto italiano del siglo XV que hemos visto páginas atrás. Fabricó dos discos de cobre, uno más grande que otro, escribió el alfabeto a lo largo del borde de cada uno y los sujetó juntos con un perno de forma que pudieran girar separadamente. Alinea la letra A del disco exterior con la A del disco interior y luego desplaza el disco interior una o más letras y obtendrás un alfabeto cifrado. Este sistema es un tipo de variación de César.

Inventos similares se usaron para codificar mensajes durante

ESTA MÁQUINA DE CIFRADO ES SIMILAR A LA DE JEFFERSON. CADA DISCO SE PUEDE CAMBIAR DE ORDEN AL SER INDEPENDIENTE.

la guerra civil americana (1861-1865). El "Code-o-Graph" (basado en la misma idea, pero con números en vez de letras) fue usado por el Capitán Medianoche en el popular programa de radio americano de la década de 1930. ¡Los fans podían escribir pidiendo uno!

Nuevo invento

Un artilugio inventado primero por el americano Decius Wadsworth in 1817 y luego por el científico inglés, Sir

menos famoso es el descifrador francés Étienne Bazeries (acuérdate: el que descifró la carta "del hombre de la máscara de hierro"). Bazeries inventó una máquina de cifrado cilíndrica en 1891. Pero casi 100 años antes que él, Thomas Jefferson (1743–1826), autor de la Declaración de Independencia de Estados Unidos y presidente

CONÉCTATE
www.bsa.scouting.org/
fun/morse/index.html

JEFFERSON ESTABA DEMASIADO OCUPADO PARA USAR SU INVENTO

Charles Wheatstone in 1867 era aún más complejo. Ambos tenían dos discos, pero con un mecanismo de engranaje que los hacía girar de forma aleatoria.

Un eje de 25 ruedas

Más brillante que estas máquinas es otra que tiene dos inventores independientes. El

de ese país, además de inventor y genio, había creado la misma máquina. Sus ruedas de cifrado consistían en 25 discos numerados, cada uno con las letras del alfabeto en un orden diferente. Los discos giraban en torno a un eje central. Para cifrar un mensaje se disponen los discos en un orden numérico establecido (2, 15,

19, etc). Luego se giraban de forma que las 25 primeras letras de su texto claro se pudieran leer a lo largo de la fila de discos. Entonces leía las 25 letras de otra fila y ese era el texto cifrado. Este proceso se repetía hasta lograr cifrar todo el mensaje.

Para descifrar el mensaje, el criptoanalista ponía en orden las 25 letras del texto cifrado y luego buscaba la fila que llevaba el texto claro. La operación se repetía hasta descifrar todo el mensaje.

Estos discos giratorios supusieron un gran avance. Su importancia se demostró

CURIOSIDADES

La señal internacional de auxilio S.O.S del código morse fue transmitida por primera vez por el TITANIC 65 minutos después de chocar contra el iceberg y 95 minutos antes de hundirse.

cuando se intentó vencer a la máquina Enigma, como veremos más adelante.

El código morse
Todas estas máquinas se crearon para crear y desvelar códigos y claves. Sin embargo, la máquina de código más

famosa no era en absoluto secreta. El 24 de mayo de 1844 Samuel Morse (1791–1872) envió un mensaje desde Washington D.C. a Baltimore, EE.UU. El famoso mensaje era muy sencillo (*"What hath God wrought"*) pero la tecnología era revolucionaria.

Morse había tendido una

ESTAS SEÑALES EN CÓDIGO MORSE SIGNIFICAN S.O.S. ("SAVE OUR SOULS", SALVAD NUESTRAS ALMAS). LAS ENVIABAN LOS BARCOS EN APUROS.

línea de cable de 60 km entre las dos ciudades y después envió una corriente de impulsos eléctricos a través de ella. Empleando un interruptor simple, interrumpía la corriente transformándola en impulsos cortos o largos, es decir, puntos y rayas. Cada combinación de puntos y rayas representaba una letra del alfabeto o un número del 0 al 9 (un punto y una raya es la A; dos rayas y dos puntos, la Z).

El nombre de este invento era telégrafo y pronto sirvió para

EL CÓDIGO MORSE ERA TRANSMITIDO CON UN DISPOSITIVO COMO ESTE. EL MENSAJE ERA RECIBIDO EN UNA CINTA DE PAPEL IMPRIMIDA POR UN RECEPTOR.

conectar a personas y países como no se había hecho antes. El código usado para estos mensajes se conoció como código Morse. Desde su introducción, los puntos y las rayas del código

Morse se han usado para enviar mensajes por todo el mundo a través del telégrafo, la lámpara de señales y las ondas de radio; y para que los barcos en apuros pidieran socorro y para capturar criminales. Durante la Segunda Guerra Mundial se transmitieron en Morse más de 40 millones de palabras por año desde una única estación de radio inglesa.

EL TITANIC RECIBIÓ NUEVE MENSAJES EN MORSE ADVIRTIENDO DEL HIELO. PESE A ESTO SU CAPITÁN CREYÓ QUE LA NAVE NO CORRÍA PELIGRO.

ENIGMA INVENCIBLE

Al comienzo de la Segunda Guerra Mundial se inventaron máquinas de cifrado que hicieron obsoletas todas las versiones anteriores. La máquina Púrpura permitió a Japón dominar el Pacífico y los nazis con su Enigma (indescifrable durante mucho tiempo) estaban dando a Hitler la victoria en Europa. Vencer a Enigma ocupó a algunas de las mentes más brillantes del mundo y su logro anunció la era de los ordenadores.

La máquina Púrpura

Poco antes de estallar la guerra en el Pacífico, los japoneses inventaron una máquina de cifrado de gran complejidad. Conocida como "Púrpura" en los EE.UU., operaba con una complicada instalación telefónica y un panel de conexiones que permitía millones de combinaciones. Para cifrar un mensaje, se establecía una clave y se introducía el texto claro en el teclado de una máquina de escribir eléctrica. Luego el mensaje pasaba por un laberinto de cables y el mensaje codificado salía impreso

EL ATAQUE A PEARL HARBOR SE HIZO UN DOMINGO MUY TEMPRANO, CUANDO MUCHOS ESTABAN DE PERMISO.

por una segunda máquina de escribir eléctrica. Los japoneses confiaban en la seguridad de su máquina, pero los americanos lograron vencerla. En septiembre de 1940 un equipo de descifradores americanos, dirigidos por William Friedman descifraban los mensajes de Púrpura, a la par que constrían una réplica de la máquina.

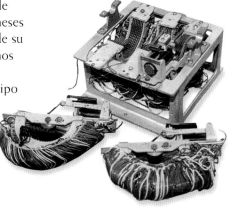

LA MÁQUINA PÚRPURA DIFERÍA DE ENIGMA EN QUE TENÍA CONECTORES TELEFÓNICOS EN LUGAR DE RODILLOS GIRATORIOS.

E l aviso de Pearl Harbor
Mensajes de Púrpura que se descifraron advertían de un ataque japonés en diciembre de 1941, pero no mencionaban la hora ni el lugar. Como resultado, los americanos estaban desprevenidos, cuando se produjo la devastadora

con el ingenio que se necesitó para dar con las claves de la máquina de los nazis.

La máquina nazi Enigma fue creada por el inventor alemán Arthur Scherbius, que

LA MÁQUINA CREADA A PARTIR DE PÚRPURA SE LLAMÓ MAGIC

sorpresa en Pearl Harbor, Hawai. En el ataque murieron 2.300 americanos y Estados Unidos entró en la guerra.

E nigma
La réplica de Púrpura hecha por Friedman fue un logro de ingeniería sorprendente. Pero parecía primitiva, comparada

construyó el primer modelo ya en 1918. Enigma era muy compleja. Tenía tres partes principales: un teclado para teclear el texto claro, una unidad de cifrado para cifrar el texto base y un panel de lámparas que mostraba el texto cifrado. La unidad de cifrado consistía en tres rodillos giratorios e intercambiables. Bajo el teclado había una caja de conexiones con seis cables. La máquina Enigma parecía una máquina de escribir muy rara metida en una caja de madera.

El nivel de secreto que ofrecía Enigma no se había visto nunca en la historia de la criptografía. Era perfecta para Hitler, que necesitaba mantener sus planes de invasión a salvo del resto de Europa. Gracias a la Enigma él poseía el sistema de cifrado más seguro del mundo.

Cómo funcionaba

El operador colocaba los tres rodillos de letras de la máquina en un cierto orden: 1–3–2 o 3–1–2 y los hacía funcionar girándolos. Por ejemplo, E del primer rodillo se alineaba con H del segundo y con W del

tercero. Después disponía los cables de la tabla de conexiones. Éstos le permitían cifrar aún más el mensaje intercambiando seis pares de letras del teclado, B por G, V por J, y así seis veces. Enigma ya estaba lista para funcionar.

El operador tecleaba la primera letra del mensaje. Una corriente eléctrica pasaba desde el teclado por el panel de conexiones y los tres rodillos. La corriente volvía por otra ruta al panel de lámparas, donde se encendía la bombillita de la letra cifrada. Cuando se había cifrado todo el mensaje, se anotaba y se transmitía por radio con código Morse.

Al otro extremo, el receptor anotaba el mensaje cifrado. Preparaba el rotor de su máquina Enigma para que fuera igual que el del emisor y tecleaba el mensaje. El panel de conectores y los rodillos hacían el proceso inverso y, letra a letra, se iluminaba el mensaje ya descifrado en el panel de bombillitas.

Variaciones Enigma

Por si no fuera bastante complicado, los tres rodillos giraban a distintas velocidades

---

CADA MES LOS ALEMANES SACABAN UN LIBRO CON LA LISTA DE LAS CLAVES DIARIAS ESTABLECIDAS PARA LA MÁQUINA ENIGMA.

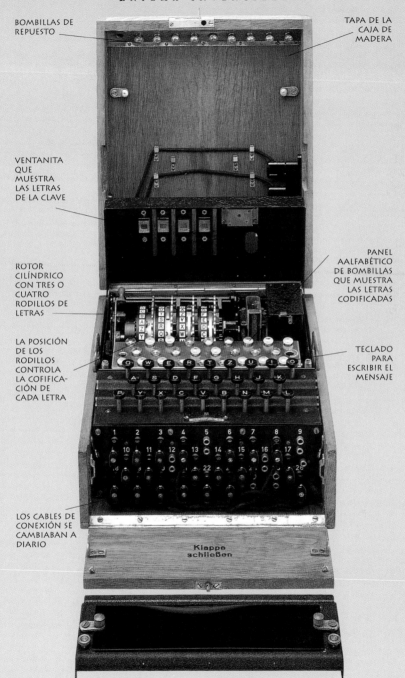

BOMBILLAS DE REPUESTO

TAPA DE LA CAJA DE MADERA

VENTANITA QUE MUESTRA LAS LETRAS DE LA CLAVE

PANEL AALFABÉTICO DE BOMBILLAS QUE MUESTRA LAS LETRAS CODIFICADAS

ROTOR CILÍNDRICO CON TRES O CUATRO RODILLOS DE LETRAS

LA POSICIÓN DE LOS RODILLOS CONTROLA LA COFIFICACIÓN DE CADA LETRA

TECLADO PARA ESCRIBIR EL MENSAJE

LOS CABLES DE CONEXIÓN SE CAMBIABAN A DIARIO

Klappe schließen

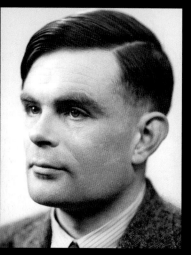

ALAN TURING CONSTRUYÓ ORDENADORES PARA DESCIFRAR ENIGMA. COMO SU TRABAJO ERA SECRETO NUNCA SE LE RECONOCIÓ EN VIDA SU INCREÍBLE DESCUBRIMIENTO.

al pulsar cada letra. Sólo volvían a su posición original cada 17.000 letras. Cada rodillo podía tener 26 orientaciones (una por cada letra del alfabeto) y ser colocado en 6 órdenes. Multiplica las 17.576 orientaciones (26 x 26 x 26) por los seis órdenes y las 100.391.791.500 formas de emparejar los seis cables del panel de conexiones y tendrás las 10.000 billones de formas de preparar Enigma.

Descifrar el código

La inteligencia polaca fue la primera que intentó descifrar Enigma. Como vecina de la Alemania nazi, a Polonia le inquietaba su existencia y

encargaron el trabajo a su mejor descifrador, Marian Rejewski, un matemático de 23 años. Su primer problema fue que la clave de Enigma cambiaba a diario. Los nazis distribuían un nuevo libro de claves cada mes. Eso significaba que cada día había que cambiar las conexiones de los cables, fijar el orden y la orientación de los rodillos. Para mayor seguridad los nazis sólo usaban la clave diaria para transmitir un mensaje de tres letras, codificadas a su vez, para crear un cifrado único para cada mensaje.

El éxito de la repetición

Rejewski supo que cada mensaje empezaba con la repetición de la clave de tres letras. A partir de

ahí, se las ingenió para completar un alfabeto cifrado usando los pares de letras repetidas del mensaje clave. Luego construyó seis máquinas que llamó "bombas", una para cada posible orden de rodillos. Pronto estuvo en condiciones de leer la mayoría de los mensajes alemanes.

El hallazgo de Rejewski fue increíble. Había demostrado que Enigma podía descifrarse. Pronto los nazis aumentaron el número de rodillos a 5 y el de cables del panel de conectores de 6 a 10. El número de claves ascendió a 159 trillones.

Los polacos se prepararon para la invasión alemana de 1939, pero pasaron a los británicos los planos de las bombas.

Bletchley Park

El centro de desciframiento del gobierno británico estaba en Bletchley Park, una casa solariega de Backinghamshire. Allí habían concentrado a una extraña combinación de

ESTA ESCENA DE LA PELÍCULA "U-571" MUESTRA A LOS MARINES ABORDANDO UN SUBMARINO PARA CONSEGUIR EL LIBRO DE CLAVES DE ENIGMA. EN REALIDAD FUERON LOS BRITÁNICOS QUIENES LO APRESARON.

cerebros: matemáticos, científicos, lingüistas, campeones de ajedrez, un experto en porcelana, todos reclutados para descifrar Enigma.

El hombre que ganó la guerra
El fichaje más brillante de Bletchley fue Alan Turing, un joven matemático de la Universidad de Cambridge. Turing hizo dos grandes descubrimientos. El primero, que Enigma tenía una debilidad: no podía cifrar una letra como ella misma, es decir, A no podía ser A. Siempre había que cifrarla como otra

> ## CURIOSIDADES
> BLETCHLEY PARK RECLUTABA DESCIFRADORES PIDIENDO A LOS LECTORES DE *THE DAILY TELEGRAPH* QUE RELLENARAN EL CRUCIGRAMA EN MENOS DE 12 MINUTOS. LOS QUE LO CONSEGUÍAN ERAN SOMETIDOS A UN SEGUNDO CRUCIGRAMA ESPECIAL.

letra. Esto fue una pista importante para descifrarlo. En segundo lugar, se dio cuenta de que muchos mensajes alemanes eran parecidos. Se enviaba un mensaje cifrado de seis letras a las 6:05 cada mañana. Dedujo que esas seis letras eran *Wetter* ¡la previsión del tiempo!

A partir de ahí, Turing identificó la disposición de Enigma cambiando *Wetter* por el texto cifrado. Se dio cuenta de que había un bucle entre el texto claro y las letras del texto cifrado: w–E, e–T, t–W, por ejemplo. Entonces construyó una gran bomba, bastante más grande que las de Rejewski, e hizo que corriera el bucle. Cuando se completaba cada bucle, se cerraba el circuito eléctrico y se paraba la bomba.

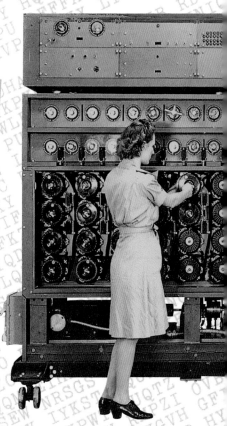

www.bletchleypark.org.uk CONÉCTATE

A principios de 1942, había 16 bombas trabajando día y noche para descifrar Enigma. En una hora podían descifrarse todos los mensajes del día.

S ecretos del submarino

Uno de los problemas que tuvo Turing fue que había diferentes versiones de Enigma. El ejército alemán usaba una clave diaria distinta de la de la marina, que tenía una versión avanzada de la máquina. Los operadores navales evitaban enviar mensajes típicos, como la previsión meteorológica, que podía dejar pistas.

En octubre de 1942 soldados británicos abordaron el submarino U-559 al este del Mediterráneo y encontraron el libro de códigos de la Enigma naval. Ahora Bletchley Park podía leer todos los mensajes del Atlántico Norte. Era la época en que los submarinos nazis hundían cada mes docenas de barcos con suministros para forzar la rendición de Inglaterra.

L a era de los ordenadores

El éxito de las bombas de Turing descifrando mensajes ayudó a los aliados a derrotar a los nazis en todos los frentes. Más aún, revelaron un cuadro detallado de la posición de la tropas alemanas en Francia antes del Día-D (6 de junio de 1944). Las bombas pusieron fin a las máquinas de cifrado como sistema de codificación. Había empezado la era de los ordenadores.

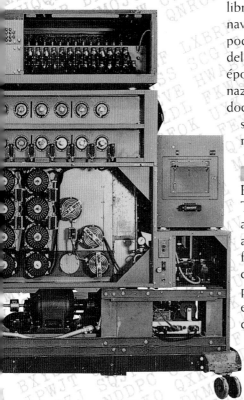

LAS BOMBAS DE TURING (ABAJO) ERAN GRANDES COMO ARMARIOS, PERO SU SIGUIENE CREACIÓN FUE AÚN MÁS GRANDE: COLOSSUS, EL PRIMER ORDENADOR ELÉCTRICO.

CÓDIGO DE ORDENADOR

Mucha gente tiene ordenador en casa (este libro está hecho con uno). Pero ¿cuántos sabemos cómo funcionan? No sólo cómo se enciende, el teclado y los chips. ¿Cómo computa la computadora? ¿Cómo piensa? Lo hace en código. Y donde hay código, hay *hackers*.

B its codificados

Los ordenadores no usan las letras y números que nosotros conocemos. Ellos hablan en un lenguaje codificado conocido como código binario, que consiste en dos dígitos, 0 y 1, que se llaman bits. Se usan en minúsculas (a = 1100001), signos de puntuación (! = 0100001), símbolos (& = 0100110), etcétera.

L as máquinas de Babbage

Podrías pensar que los ordenadores son un invento

EL PRIMER ORDENADOR SE CONSTRUYÓ HACE UNOS 200 AÑOS

lugar del sistema decimal (10 dígitos, del 0 al 9), porque es más fácil para el ordenador usar múltiplos de 2 dígitos que múltiplos de 10.

Para convertir las letras al código binario, los ordenadores usan un sistema estándar que asigna siete dígitos binarios a cada carácter de tu teclado: mayúsculas (A = 1000001),

reciente, pero en realidad ¡están a punto de cumplir 200 años! El primer ordenador, llamado *Difference Engine No 1*, fue diseñado en 1823 por el inventor y entusiasta descifrador inglés, Charles Babbage.

ESTA RECONSTRUCCIÓN DEL DIFFERENCE ENGINE Nº 2 ESTÁ EN EL MUSEO DE CIENCIAS DE LONDRES. LOS PRINCIPIOS EN LOS QUE SE BASA SON LOS MISMOS QUE LOS DE UN ORDENADOR ACTUAL.

Fue diseñado para hacer cálculos complejos, tiene 25.000 partes y costó unos 85.000 euros. Una cifra astronómica a principios del siglo XIX.

Colossus

El auténtico avance llegó en 1937. Alan Turing (el brillante matemático que descifró Enigma) escribió un famoso artículo científico que describía una máquina programada para responder cualquier cuestión que tuviera respuesta lógica. La llamó *Máquina Universal Turing.* Seis años después, la Segunda Guerra Mundial dio vida a su

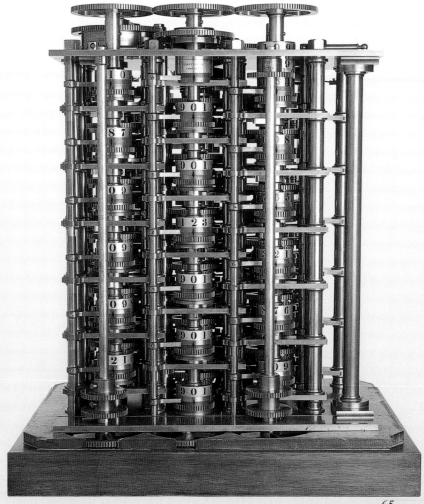

A PESAR DE QUE COLOSSUS FUE DISEÑADO SÓLO PARA DESCIFRAR CÓDIGOS, FUE EL PRIMER ORDENADOR ELECTRÓNICO Y UN PRODIGIO DE SU ÉPOCA.

Newman, inventó una máquina basada en la *Máquina Universal Turing*. Se la llamó *Colossus*, porque era enorme. Tenía 1.500 válvulas electrónicas que podían procesar datos introducidos por medio de una cinta perforada. La importancia de *Colossus* fue que podía ser programada, como un ordenador moderno.

máquina. Además de Enigma, los nazis tenían otra máquina de cifrado más segura llamada Lorenz. Era usada para cifrar los mensajes más secretos entre los generales alemanes y el propio Hitler. Las máquinas de Turing eran demasiado lentas para descifrar los mensajes Lorenz, así que uno de sus colegas, Max

C *hips* de silicio

Por desgracia, *Colossus* estaba clasificada como alto secreto, así que cuando acabó la guerra en 1945, *Colossus* fue destruida y los diseños quemados. Durante años, todos creyeron que el primer ordenador había sido el Integrador y Calculador Numérico Electrónico (ENIAC) construido en la Universidad de Pensilvania (EE.UU.) en 1945.

LOS ORDENADORES MODERNOS ALMACENAN SUS CÓDIGOS EN MINÚSCULOS MICROCHIPS DE SILICIO.

Tenía 18.000 válvulas electrónicas y podía hacer 5.000 cálculos por segundo. Todos los ordenadores modernos proceden del ENIAC. En 1959, se inventó el primer circuito electrónico impreso completamente sobre silicio. Los ordenadores redujeron rápidamente su tamaño y precio con el primer ordenador personal del mundo, que apareció en 1975.

El poder de Lucifer

Hoy día, todo gobierno, ejército y negocio usa ordenadores para todo, desde armar misiles hasta llegar a acuerdos comerciales. Millones de personas dan su número de tarjeta de crédito y otros datos personales en internet para comprar CD, libros y otras cosas. Mucha de esta enorme información tiene que ser guardada en secreto y enviada codificada.

Desde la década de 1960, los creadores de código los han inventado para hacer más seguras las comunicaciones de negocios. Uno de los más famosos y de los más seguros es

CURIOSIDADES

LOS CREADORES DE CÓDIGO DE ORDENADOR USAN NOMBRES DE TRES PERSONAS FICTICIAS CUANDO DEBATEN TEMAS COMPLEJOS COMO UNA CLAVE COMPLEJA. SUS NOMBRES: ALICE, BOB, EVE.

Lucifer. Lucifer es el código oficial estándar en EE.UU. Traduce mensajes a dígitos binarios y luego los baraja como a las cartas. El proceso se repite hasta que están completamente mezclados y entonces está listo para enviar.

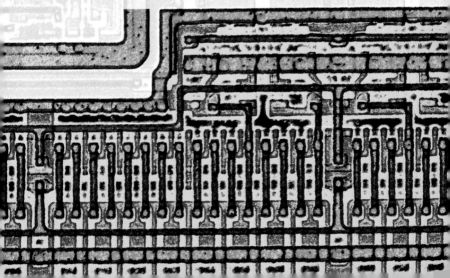

El receptor invierte el proceso para descifrar el mensaje.

Lucifer es tan seguro que la Agencia de Seguridad Nacional del Gobierno de EE.UU. no puede descifrar los mensajes de criminales. Han pedido que las claves se simplifiquen por motivos de seguridad.

La debilidad de las claves

Siempre se necesita una clave para cifrar o descifrar un mensaje. ¿Recuerdas nuestra clave para desbloquear la tabla de Vigenère? Sin embargo, las claves han sido siempre la debilidad principal de los códigos de cifrado. El emisor y

LUCIFER DIVIDE UN MENSAJE EN BLOQUES DE 64 UNIDADES BINARIAS (ABAJO). LUEGO LOS BARAJA Y LOS DISTRIBUYE EN BLOQUES DE 32.

el receptor necesitan una clave idéntica para bloquear y desbloquear un mensaje cifrado. Si un general quería enviar un mensaje codificado a sus tropas, ¿cómo podía entregar la clave sin que la capturara el enemigo? Este era el problema de Enigma. Emisor y receptor usaban claves idénticas que había en un libro de códigos que cambiaba cada mes. Si los aliados capturaban un libro podían descifrar enseguida todos los mensajes del mes.

electrónico y una clave secreta que sólo tienes tú para descifrar el correo. Ya no existía el problema de enviar una clave idéntica con garantías de seguridad.

Los codificadores consiguieron este avance inventando un cifrado que usa una suma matemática de dirección única. Es decir, una suma que es muy

CONÉCTATE
www.htmlweb.net/
seguridad/seguridad.html

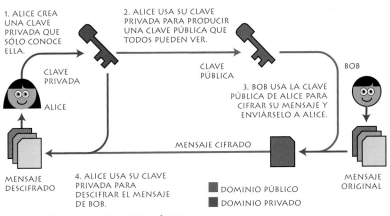

1. ALICE CREA UNA CLAVE PRIVADA QUE SÓLO CONOCE ELLA.

2. ALICE USA SU CLAVE PRIVADA PARA PRODUCIR UNA CLAVE PÚBLICA QUE TODOS PUEDEN VER.

CLAVE PRIVADA

ALICE

CLAVE PÚBLICA

BOB

3. BOB USA LA CLAVE PÚBLICA DE ALICE PARA CIFRAR SU MENSAJE Y ENVIÁRSELO A ALICE.

MENSAJE CIFRADO

MENSAJE DESCIFRADO

4. ALICE USA SU CLAVE PRIVADA PARA DESCIFRAR EL MENSAJE DE BOB.

MENSAJE ORIGINAL

■ DOMINIO PÚBLICO
■ DOMINIO PRIVADO

CÓMO CODIFICAR CON UNA CLAVE PÚBLICA

Un nuevo tipo de clave

Hasta la década de 1970 parecía imposible resolver este problema. Entonces los matermáticos y los ordenadores proporcionaron la respuesta: emisor y receptor ¡no necesitan la misma clave! Tú dispones de una "clave pública" para que cualquiera pueda enviarte un mensaje cifrado por correo

fácil de hacer, pero casi imposible de deshacer sin conocer la fórmula. La suma usa números primos (como el 3 y el 5) que sólo son divisibles por sí mismos y por uno. Tu software escoge dos números primos largos y los guarda en secreto. Esta es tu clave privada. Entonces los multiplica para hacer un número más grande, que será tu clave pública que puedes ofrecer a todos, como un número de teléfono. Cualquiera puede enviarte un mensaje codificado usando la clave pública. Sin embargo, nadie excepto tú puede descifrarlo, porque sólo tú conoces los números primos que han permitido crear la clave pública (imprescindibles para desbloquear el número largo).

Si tus números primos son suficientemente largos, es prácticamente imposible cuáles son. El ordenador más potente del mundo podría tardar miles de millones de años en hacerlo.

El cielo de los *hackers*

Sin embargo, estas claves y cifrados tan complejos son un gran atractivo para los *hackers*, personas que abren una brecha

en el sistema de un ordenador, descifrando un código o dando con un agujero. Algunos lo hacen para robar y vender secretos comerciales. Otros, por razones políticas, destrozan el sitio de una corporación que no les gusta. Algunos *hackers* lo hacen sólo porque pueden. Cada código de ordenador, no importa cuán complejo sea, es un reto para el *hacker*.

CURIOSIDADES

EN MAYO DE 2000, UN VIRUS CONTAMINÓ A MILLONES DE ORDENADORES EN HORAS. SE DIFUNDIÓ EN EL CORREO "ILOVEYOU". LA MAYORÍA NO PUDO RESISTIR Y LO ABRIÓ, DEJANDO ENTRAR AL VIRUS.

Una vez que se han saltado el código, algunos *hackers* alteran las bases de datos, causan daños como borrar ficheros o hacer pública información secreta. Otros van más lejos e inventan virus, complicados códigos que, cuando entran, corrompen el ordenador y destruyen datos. Virus con nombres como Bouncing Ball, Melissa y Love Bug han causado estragos en todo el mundo.

En mayo de 2001, el sitio web de Steve Gibson, un experto en seguridad informática, fue bombardeado con millones de peticiones de información bloqueándolo. Todas las peticiones procedían de un *hacker* de Wisconsin, EE.UU., con el alias "Wicked". Pero no estaba solo. Hay miles de *hackers* en el mundo que, como a Wicked, les encanta poner a prueba sus habilidades contra los expertos en códigos de los gobiernos y grandes empresas.

LOS HACKERS SABEN OCULTAR SU RASTRO Y MUCHOS SON ADOLESCENTES.

EL MAYOR DE LOS CÓDIGOS

Todos los códigos que hemos visto han sido ingeniados por personas, usando papel y lápiz, máquinas u ordenadores. Pero el código más complejo de todos es el código genético natural que está dentro de nuestro cuerpo. Él hace que cada uno de nosotros sea único. Descodificarlo es uno de los más grandes logros de nuestra ciencia.

El código genético

Para dar sentido a este código alucinante, necesitamos entender algunos datos sobre

nosotros. Nuestros cuerpos están hechos de células (unos 50.000 billones). Dentro de cada célula hay un núcleo que tiene 23 pares de cromosomas. Cada cromosoma contiene sólo una molécula de ácido desoxirribonucleico (abreviado ADN). Aunque una molécula de ADN tiene un grosor de sólo una millonésima de milímetro, si la estiráramos, ¡tendría 2 m de largo! Está formada por dos finas hebras

ESTA SECCIÓN DE UNA CÉLULA MUESTRA EL NÚCLEO ROSA, DONDE SE ENCUENTRAN TODOS LOS CROMOSOMAS.

LA MOLÉCULA DE ADN ESTÁ
FUERTEMENTE ENROLLADA
DENTRO DEL CROMOSOMA.

enroscadas en espiral
y que se mantienen
juntas por pares de
sustancias químicas,
llamadas bases, que
son como los
travesaños de una
escalera de madera.
Hay cuatro bases, que
se llaman adenina (A), timina
(T), guanina (G) y citosina (C).
A sólo se empareja con T y G
siempre lo hace con C. Los
pares posibles son: AT, TA,
GC, CG.

T odo está en tus genes
Juntos, los 23 pares de
cromosomas que hay en cada
célula contienen un conjunto
completo de planos para
construir el cuerpo
humano.

El ADN de
cada
cromosoma
contiene las
instrucciones
o genes que
controlan la
forma en que
trabaja una
célula concreta.
Las células de los hematíes de tu
sangre reciben instrucciones
diferentes para las células del
pelo y para las de los pulmones.

C ontrol de proteínas
El ADN da esas instrucciones
diciéndole a la célula que
fabrique proteínas. Las
proteínas son cruciales porque
se encargan de todas las
sustancias químicas del cuerpo.
Produciendo proteínas, el ADN
controla la forma en que
trabajan las células y por tanto
la forma en que trabaja el
cuerpo.

> ## CURIOSIDADES
> EL ADN DE TODAS LAS
> CRIATURA DEL MUNDO ES
> SIMILAR. QUIZÁ PORQUE
> TODOS PROCEDEMOS DE LA
> MÁS TEMPRANA FORMA DE
> VIDA EN LA TIERRA: ¡LAS
> BACTERIAS!

LA ECOGRAFÍA (ARRIBA)
MUESTRA A UNOS GEMELOS EN
LA MATRIZ. LOS GEMELOS
IDÉNTICOS COMPARTEN LOS
MISMOS GENES.

A NO SER QUE SEAS GEMELO, TUS GENES TE
HACEN ÚNICO. NI LAS HUELLAS
DACTILARES PUEDEN SER IGUALES.

L o que heredas

¿Para qué queremos esa
avanzada tecnología? Porque
esos genes no son sólo
responsables del
funcionamiento de tu cuerpo,
sino también, cuando se
rompen o se estropean, de
enfermades que puedes tener.
Además los genes son
transmitidos de padres a hijos
en un proceso hereditario. Si tu
padre y tu madre tienen los
ojos azules, tú los tendrás,
la diabetes también son
hereditarias y pueden pasar a
través de generaciones.

El código genético es la clave
para conocer todo sobre el

LAS MOLÉCULAS DE ADN LLEVAN EL CÓDIGO PARA CONSTRUIR EL CUERPO

porque los genes que heredas
de tus padres han dado
instrucciones a las células de tus
ojos para que sean azules y no
marrones. Algunas de las 4.000
enfermedades humanas, como

cuerpo. El único problema es
que, hasta hace poco, nadie lo
había podido descifrar.

L a doble hélice

De hecho, hasta hace bien
poco, nadie estaba seguro de
dónde estaba almacenado el
código genético ni cómo era.
La idea de herencia surgió en
1865 y los cromosomas fueron
descubiertos en 1882. Los
científicos han dedicado mucho

LOS GENES PASAN DE PADRES A HIJOS,
POR ESO NOS PARECEMOS A PAPÁ O A
MAMÁ, O A LOS DOS. Y A LA VEZ
TENEMOS UN ASPECTO ÚNICO.

tiempo al desciframiento de este particular código. Un buen comienzo fue 1952, cuando la físico inglesa Rosalind Franklin demostró que las moléculas de ADN tenían forma espiral. Lo hizo dando la vuelta a hebras de ADN en cristal y disparando a través de él rayos X, creando así un patrón que ella podía estudiar.

Grandes progresos

Al año siguiente el americano James Watson y el británico Francis Crick, ambos de la Univesidad de Cambridge (Inglaterra) dieron el paso decisivo. Usando la evidencia de Franklin descubrieron que el ADN consistía no en una sino en dos espirales unidas por bases (los "travesaños" de la escalera de madera). A esta forma la llamaron doble hélice. Por su trabajo compartieron el Premio Nobel de medicina en 1962.

El mapa del genoma

En 1990, los científicos empezaron una tarea intensiva para descubrir el orden de todos los genes que hay dentro de los cromosomas del cuerpo humano. El objetivo era conseguir el mapa completo del genoma humano, la estructura genética del cuerpo, para comprender cómo funciona y qué hace cada gen.

ESTE MODELO DE DOBLE HÉLICE MUESTRA CÓMO LOS PARES DE BASES (A Y T, C Y G) SÓLO SE ASOCIAN CON SU PAREJA.

CONÉCTATE
www.elpais.es/multimedia
/sociedad/genoma.htm

Como parte de su investigación, cortaron un pequeño fragmento de ADN de un cromosoma. Después de algunos inteligentes procesos químicos, analizaron los fragmentos con láser para descubrir de qué parte del cromosoma era el fragmento. Pieza a pieza, los ordenadores han creado

LA PRIMERA CRIATURA QUE TIENE EL GENOMA TOTALMENTE DESCIFRADO ES UN SIMPLE GUSANO.

una imagen completa de genes de cada cromosoma.

Tarea épica

La tarea de los científicos fue inmensa y han supuesto que el cuerpo posee 100.000 genes distintos en cada célula y que cada gen tiene un código ordenado desde 1.000 "letras" o pares de las bases químicas, hasta varios cientos de miles. Por si no fuera bastante complicado, los genes no están uno al lado del otro en una fila ordenada, sino interrumpidos por montones de "chatarra" de ADN, los intrones. Por ahora los científicos no saben para que sirven.

El famoso gusano

En 1998, la primera criatura viva de la que se ha descodificado el genoma completo es un pequeño gusano, el *Caenorhabditis elegans*. Gracias a eso ¡se hizo famoso! Al año siguiente, un equipo de científicos descodificó el cromosoma 22, el segundo más pequeño del ser humano. Aquí descubrieron genes relacionados con las cataratas de los ojos y con enfermedades mentales como la esquizofrenia.

Un código masivo

En junio de 2000, equipos de científicos de todo el mundo terminaron de descifrar el

UN CONJUNTO COMPLETO DE 23 PARES DE CROMOSOMAS DE UNA SOLA CÉLULA MASCULINA.

TIENES MÁS EN COMÚN CON LA MOSCA DE LA FRUTA DE LO QUE PUEDES IMAGINAR.

genoma humano y ofrecieron el resultado en internet. Si lo escribiéramos en hojas A4, llenaríamos 750.000. O dicho de otra manera, es una palabra del tipo "ATATGCCGTA ATCG" y así hasta 3.000 millones de letras, equivalente a 750 megabytes de datos.

La verdad sobre nosotros

A partir de estos datos, los científicos han aprendido algunos hechos sorprendentes. Saben que el 98,9% del genoma humano es ADN chatarra y que los genes son sólo el 1,1% También saben que tenemos

entre 30.000 y 40.000 genes por cromosoma, no los 100.000 que se creía antes. La mosca de la fruta tiene 13.000 genes por cromosoma. Si piensas que somos mucho más grandes y listos que una mosca de la fruta, ¡resulta raro! Pero la mayor consecuencia de tener el mapa del genoma es que los científicos pueden estudiar ahora el código gen a gen y deducir qué hace cada uno. De esta forma, es posible que en los próximos años se consiga encontrar una cura para enfermedades como el cáncer.

CURIOSIDADES

EL 98,4% DEL ADN HUMANO ES COMÚN AL DEL CHIMPANCÉ PIGMEO Y 30% AL DE LA LECHUGA.

EN EL FUTURO...

Predecir el futuro siempre es
arriesgado. Cada generación intenta
imaginar qué vendrá después y suele fracasar.
Decían que los viajes espaciales eran
imposibles, que no se podía repetir una guerra mundial y
que los ordenadores eran demasiado grandes y caros para
el uso doméstico. Todo equivocado. Pero, en el mundo
de los códigos, se pueden aventurar algunas predicciones.

Secreto para siempre

Parece seguro predecir que la
gente siempre necesitará
mantener cosas en secreto y
que, por tanto, siempre harán
falta códigos. ¿Puedes imaginar
un mundo sin secretos (sin
mensajes secretos entre amigos,
sin espías ni acuerdos secretos
de negocios)?

Códigos del futuro

Los códigos serán cada
vez más complejos.
En el pasado, todo
nuevo código
parecía seguro hasta
que alguien
averiguaba cómo
descifrarlo. El código
de Vigenère parecía infalible,
pero Charles Babbage probó
que podía descodificarlo.
También Enigma fue invencible
hasta que Alan Turing se puso a

ESTE ES EL
SUPERORDENADOR CRAY 1.
SE USA PARA
SIMULACIONES DE
ATAQUES NUCLEARES Y
PARA ESTUDIOS
ATMOSFÉRICOS.

cavilar. En definitiva, cada nuevo código inventado es diabólicamente más difícil que el anterior. Ya existen los superordenadores que pueden hacer cálculos inimaginables lleva exisitendo el universo para descifrar una clave pública larga! Quién sabe si en el futuro alguien ingeniará una forma sencilla de averiguar los dos números primos que la crean.

LOS SUPERORDENADORES HARÁN Y ROMPERÁN LOS CÓDIGOS FUTUROS

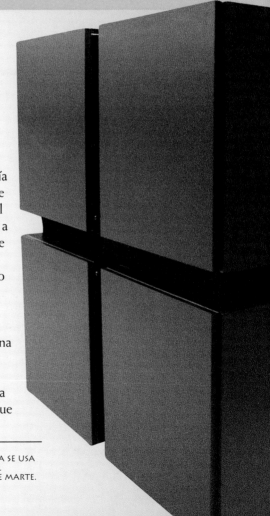

hace sólo unos años. ¿Quién sabe qué nuevos códigos serán capaces de descifrar?

¿Hay algún código seguro?
Cuando haces compras en internet, el navegador envía tu pedido usando una clave pública para codificarlo. Al mismo tiempo, la empresa a la que compras usa su clave privada para recibir el pedido. ¿Recuerdas cuando Bob usaba la clave pública de Alice? Hasta ahora, la codificación de clave pública descrito en la página 69 es indescifrable. De hecho, ¡haría falta usar todos los ordenadores de la Tierra durante el tiempo que

ESTE SUPERORDENADOR DE LA NASA SE USA PARA DISEÑAR UNA NAVE ESPACIAL ADECUADA PARA LA ATMÓSFERA DE MARTE.

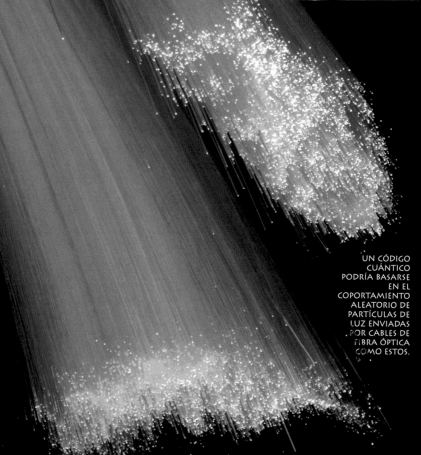

UN CÓDIGO
CUÁNTICO
PODRÍA BASARSE
EN EL
COPORTAMIENTO
ALEATORIO DE
PARTÍCULAS DE
LUZ ENVIADAS
POR CABLES DE
FIBRA ÓPTICA
COMO ESTOS.

Cuando eso ocurra, el código de clave pública ya no será seguro y tu pedido de dos CD podrá ser usado ¡para robar todo el dinero de tu cuenta bancaria!

Ordenadores cuánticos
Seguro que los ordenadores seguirán desempeñando un papel muy importante en la creación y desciframiento de códigos. Parece obvio porque pueden realizar enormes cálculos más deprisa que el cerebro humano. Pero los ordenadores sólo son máquinas y, como en Enigma, los códigos hechos por máquinas los pueden averiguar otras máquinas. Por eso los creadores de códigos están interesados en la teoría cuántica.

El científico danés Niels Bohr dijo: *"cualquiera que pueda contemplar la mecánica cuántica sin sentir vértigo, es que no la ha entendido."* Y tenía razón. La teoría cuántica es muy difícil de

80

comprender. Según ella, una pequeña partícula subatómica, como los electrones o los fotones, se comportan de una forma extraña e impredecible que no obedece a las leyes tradicionales de la física. Esta teoría podría usarse en una nueva generación de ordenadores que hicieran cálculos usando esas partículas. Esos ordenadores cuánticos podrían ser capaces de contestar cientos de preguntas a la vez y mucho más rápido que los superordenadores. Ese tipo de máquinas podrían descifrar en segundos cualquier código actual, incluido el cifrado de clave pública.

CURIOSIDADES
UN ORDENADOR CUÁNTICO NO SE PARECERÍA AL QUE TIENES EN TU MESA. SE PARECERÍA MÁS A UNA TAZA DE TÉ, AL FUNCIONAR USANDO MOLÉCULAS SUSPENDIDAS EN LÍQUIDO.

enviadas a través de un cable de fibra óptica. Cada partícula de luz vibra en una dirección diferente. Se podría codificar un mensaje usando código binario y luego transmitirlo a través de una serie de partículas de luz. La distinta dirección de

LOS FOTONES TRANSMITEN LA LUZ. SON LAS PARTÍCULAS MÁS COMUNES DEL UNIVERSO.

la vibración de cada partícula podría representarse en código binario. Cualquier intento de un descifrador de interceptar las partículas podría destruir el mensaje. Entonces, el código sería indestructible. Parece que el futuro de los códigos pasa por la mecánica cuántica.

Códigos cuánticos
También los creadores de códigos podrían usar la teoría cuántica para hacer códigos absolutamente infalibles basados en el comportamiento aleatorio de las partículas de luz

TUS CÓDIGOS

Hay cientos de formas de codificar un mensaje. Si quieres graduarte como agente secreto, practica usando alguno de los ejemplos siguientes. Estos códigos garantizan que tus notas no las pueda leer nadie. En estas páginas verás lo que los códigos pueden hacer con la sencilla frase SECRETOS EN CÓDIGO. Luego, ya puedes empezar a escribir tus mensajes...

Inversión por grupos

Distribuye las letras en grupos, por ejemplo SEC RETOS ENCO DIGO. Luego invierte el orden de las letras de cada grupo: CES SOTER OCNE OGID. Y luego inviertes el orden de los grupos: OGID OCNE SOTER CES.

Inversión aleatoria

Escribe el mensaje del revés: OGIDOC NE SOTERCES y luego rompe las letras en grupos aleatorios, por ejemplo: OG ID OC NE SO TE RC ES o bien OGI DOCNE SOT ERCES.

Con engaño enmedio

Rompe el mensaje en grupos de letras pares: SECR ET OSENCO DIGO y luego divide cada grupo por la mitad: SE CR E T OSE NCO DI GO. Ahora inserta una letra de engaño en medio de cada grupo: SELCR EVT OSEFNCO DIUGO.

Inversión por pares

Rompe las letras en pares: SE CR ET OS EN CO DI GO, luego invierte la letras de cada par: ES RC TE SO NE OC ID OG. También puedes hacerlo si el mensaje puede dividirse en grupos iguales de tres, cuatro, cinco o más letras.

PUEDE QUE NECESITES DAR CON FORMAS INGENIOSAS DE ENTREGAR TUS MENSAJES SECRETOS. UN ESPÍA LOS METÍA EN UNA CÁSCARA DE NUEZ.

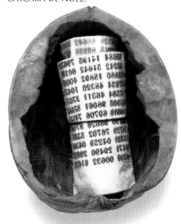

S andwich

Escribe la primera parte del mensaje dejando un espacio entre cada letra: S E C R E T O S y luego escribe la segunda parte en los espacios: SEENCCROEDTIOGSO. Luego divide el código en grupos más pequeños: SEENC CROEDTI OGSO.

V ariación César

Mueve cada letra tres o más puestos en el alfabeto. La A pasa a ser D, la B se convierte

INCLUSO A UN REGISTRO A FONDO SE LE HABRÍA ESCAPADO ESTE MENSAJE ESCRITO EN EL REVERSO DE UN PEQUEÑO BOTÓN EN LA PRIMERA GUERRA MUNDIAL.

C ódigo con palabra clave

Ecribe el alfabeto de la A a la Z. Debajo de las seis primeras letras escribe una palabra clave como COMPRA y luego añade el resto del alfabeto en orden, pero dejando sin escribir las

CON ESTOS CÓDIGOS TUS NOTAS SECRETAS LO SERÁN DE VERDAD

en E, etcétera. Nuestro mensaje se convertirá en: VHFUHWRV HQ FRGLJR.

C ambio de letras

Aquí tienes una variante de la variación César. Escribe todo el alfabeto de la A a la Z y luego debajo de una letra de la parte final, pongamos la R, por ejemplo, escribe la letra A. Encontes sigues escribiendo el alfabeto en la línea de abajo hasta que llegar a la Z de la línea de arriba y sigues escribiendo debajo de la A. Así tendrás una correspondencia del alfabeto en clave.

letras que están en la palabra clave.

E l cifrado de Vigenère

Usando la tabla de Vigenère de la página 32, intenta descifrar esta cita famosa: GVN IVBMWZIAHS XEJGMYBS VFB YQFBWKZC PMABJH US GV RVAZDO.
Para ayudarte a descifrarlo (sin que dediques meses a hacer análisis de frecuencias), la palabra clave imprescindible es MINISTRO.

Si te atascas o te rindes, podrás encontrar la respuesta al final de la página siguiente.

Código numérico

Escribe el alfabeto y asigna a cada letra un número, empezando con el número que quieras e incrementándolo en dos o tres. A sería igual a 3, B a 6, C a 9, etcétera.

Código del calendario

Escribe las letras del alfabeto en una línea y numera las letras del 1 al 27 (contando con la ñ).

ALGUNOS ESPIAS ESCRIBÍAN SUS CÓDIGOS CON TINTA INVISIBLE PARA MAYOR SEGURIDAD. ESTE ESTÁ ESCRITO EN UN PAÑUELO.

Luego escribe el mensaje "secretos en código" usando los números que les has dado: 20.5.3.19.5.21.16.20.5.14.3.16. 4.9.7.16. Ahora coge la hoja del calendario del mes en curso y dale a cada día de la semana una incial: L, M, X, J, V, S, D.

Para codificar el mensaje, empieza con el día 20 (pongamos que cae en el tercer martes del mes) y le das la clave M3. Si el día 5 es el primer lunes del mes, se convierte en L5. Y así hasta que completes el

mensaje. En agosto de 2002 el mensaje sería codificado así: M3L1S1L3L1X3V3M3 L1X2 S1V3D1V2X1V3.

Para descodificar el mensaje cifrado con calendario, invierte el proceso: transforma las claves en días del mes y luego éstos números en letras. Es obvio que tanto tú como el receptor tenéis que saber ¡el mes y el año en el que vivís!

Código de vocales

Escribe en una línea las letras del alfabeto y numera las vocales del 1 al 5 (A=1, E=2, I=3, O=4, U=5). Codifica cada consonante según el número de letras que hay a la derecha hasta la vocal más próxima. Así la S, que está a 4 letras de la O (vocal 4) se convierte en 44. La E es la vocal 2. La C está a dos letras de la A, o sea, 12. Pon un punto para separar los números. Nuestro mensaje sería: 44.2.12.43.2.45.4.44.2.35.12.4. 13.3.22.4.

Respuesta al cifrado Vigenère

Usando la clave MINISTRO, deberías haber descubierto una cita famosa: *"Una adivinanza envuelta con misterio dentro de un enigma"*. Así definió a Rusia Winston Churchill en octubre de 1939, siete meses antes de convertirse en primer ministro del Reino Unido.

SECCIÓN DE CONSULTA

Tanto si ya has leído *Descifradores*, como si has venido a esta scección primero, en estas ocho páginas encontrarás información muy útil. Aquí hay más códigos, hechos históricos, más información, y los términos que un descifrador necesita conocer. También encontrarás una lista detallada de páginas web y, tanto si quieres navegar por la red como buscar más información, estas páginas harán de ti todo un experto.

CÓDIGO MORSE

A ·—	Q ——·—	7 ——·· ·
B —···	R ·—·	8 ———··
C —·—·	S ···	9 ————·
D —··	T —	0 —————
E ·	U ··—	punto final ·—·—·—
F ··—·	V ···—	coma ——··——
G ——·	W ·——	interrogación
H ····	X —··—	··——··
I ··	Y —·——	
J ·———	Z ——··	punto ———···
K —·—	1 ·————	punto y coma
L ·—··	2 ··———	—·—·—·
M ——	3 ···——	guión —····—
N —·	4 ····—	barra inclinada
O ———	5 ·····	—··—·
P ·——·	6 —····	comillas
		·—··—·

LA CLAVE DE LA COCHIQUERA

La clave de la cochiquera ha sido usada desde el siglo XVIII para mantener registros en secreto y aún se usa. Cada letra se sustituye por un símbolo, según el lugar que ocupan en una parrilla. El mensaje "secrets in a code" está codificado abajo usando esta clave.

Parrilla de letras

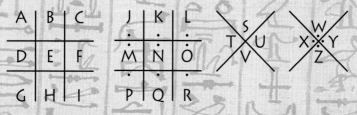

Símbolos

CÓDIGO MILITAR NAVAJO

Palabra española	Palabra navajo	Traducción literal
Formaciones		
Cuerpo	DIN-NEH-IH	Clan
División	ASHIH-HI	Sal
Regimiento	TABAHA	Orilla del agua
Batallón	TACHEENE	Tierra roja
Compañía	NAKIA	Mejicano
Pelotón	HAS-CLISH-NIH	Barro
Sección	YO-IH	Abalorios
Comando	DEBEH-LI-ZINI	Oveja negra
Oficiales		
General en jefe	BIH-KEH-HE	Jefe de la guerra
General	SO-NA-KIH	2 estrellas
General de Brigada	SO-A-LA-IH	1 estrella
Teniente Coronel	CHE-CHIL-BE-TAH-BESH-LEGAI	Hoja de roble de plata
Coronel	ATSAH-BESH-LE-GAI	Águila de plata
Capitán	BESH-LEGAI-NAH-KIH	2 barras plateadas
Teniente	BESH-LEGAI-A-LAH-IH	1 barra plateada
Oficial al mando	BIH-DA-HOL-NEHI	El que está al mando
Países		
Alaska	BEH-HGA	Con invierno
América	NE-HE-MAH	Nuestra madre
Australia	CHA-YES-DESI	Gorro enrollado
Gran Bretaña	TOH-TA	Entre aguas
China	CEH-YEHS-BESI	Pelo trenzado
Francia	DA-GHA-HI	Barba
Alemania	BESH-BE-CHA-HE	Gorro de hierro
Islandia	TKIN-KE-YAH	Tierra de hielo
India	AH-LE-GAI	Ropas blancas
Italia	DOH-HA-CHI-YALI-TCHI	Tartamudeo
Filipinas	KE-YAH-DA-NA-LHE	Isla flotante
Rusia	SILA-GOL-CHI-IH	Ejército rojo
España	DEBA-DE-NIH	Dolor de oveja (onomatopeya de 'Sheep pain')

sigue/...

Aviones

Aviones	WO-TAH-DE-NE-IH	Fuerza del aire
de bombas		
sumergibles	GINI	Halcón
de torpedos	TAS-CHIZZIE	Trago
de observación	NE-AS-JAH	Lechuza
Caza	DA-HE-TIH-HI	Colibrí
Bombardero	JAY-SHO	Águila ratonera
Patrullero	GA-GIH	Cuervo
de transporte	ATSAH	Águila

Embarcaciones

Barcos	TOH-DINEH-IH	Fuerza del mar
Acorazado	LO-TSO	Ballena
Portaviones	TSIDI-MOFFA-YE-HI	Transporta aves
Submarino	BESH-LO	Pez de hierro
Dragaminas	CHA	Castor
Destructor	CA-LO	Tiburón
de transporte	DINEH-NAY-YE-HI	Mensajero
Crucero	LO-TSO-YAZZIE	Ballena pequeña

Meses

Enero	ATSAH-BE-YAZ	Águila pequeña
Febrero	WOZ-CHEIND	Voz chirriante
Marzo	TAH-CHILL	Planta pequeña
Abril	TAH-TSO	Planta grande
Mayo	TAH-TSOSIE	Planta pequeña
Junio	BE-NE-EH-EH-JAH-TSO	Gran siembra
Julio	BE-NE-TA-TSOSIE	Pequeña cosecha
Agosto	BE-NEEN-TA-TSO	Gran cosecha
Septiembre	GHAW-JIH	Mitad
Octubre	NIL-CHI-TSOSIE	Viento pequeño
Noviembre	NIL-CHI-TSO	Viento grande
Diciembre	YAS-NIL-TES	Costra de nieve

Términos generales

Artillería	BE-AL-DOH-TSO-LANI	Muchos cañones
Bombas	A-YE-SHI	Huevos
Campamento	TO-ALTSEH-HOGAN	Lugar temporal
Fuerza	TA-NA-NE-LADI	Despreocupación
Granadas	NI-MA-SI	Patatas
Ametralladora	A-KNAH-AS-DONIH	De rápido disparo
Cohete	LESZ-YIL-BESHI	Hierve arena
Marinero	CHA-LE-GAI	Gorro blanco
Tanque	CHAY-DA-GAHI	Tortuga

DESCIFRADORES FAMOSOS

Leon Battista Alberti
1404-1472

Arquitecto, músico y artista italiano. También era un apasionado de la criptografía. Inventó un disco alfabético giratorio, que fue un gran avance para la codificación. La lámina grande y la pequeña del disco cambiaban la alineación para codificar letras. Ideó una nueva forma de clave que usaba dos o más alfabetos al mismo tiempo y permitía pasar de uno a otro para cifrar cada letra. Esta idea la desarrolló más tarde Vigenère.

Charles Babbage
1791-1887

Babbage fue un inventor británico famoso por crear un antepasado del ordenador moderno. Entre 1820 y 1830 Babbage construyó dos máquinas de diferencias, que podían programarse para avanzados cálculos matemáticos. En 1854 demostró que la clave de Vigenère podía resolverse con el análisis de frecuencia.

Étienne Bazeries
1846-1931

Descifrador del ejército francés, Bazeries fue famoso por resolver la gran clave de Luis XIV. Para hacerlo reveló la posible identidad del famoso hombre de la máscara de hierro. También inventó un disco de cifrado semejante al de Thomas Jefferson.

Jean-François Champollion
1790-1832

Francés experto en lenguas antiguas. Champollion fue el primero en descifrar completamente los jeroglíficos egipcios. Desveló esta lengua antigua comparando los nombres reales escritos en griego y en jeroglífico que estaban grabados en la Piedra de Rosetta.

Francis Crick 1916–
James Watson 1928–

Estos hombres descubrieron la forma de doble hélice del ADN. Esto permitió a los científicos entender la genética humana y también descifrar el código genético humano. En 1962 recibieron en común el Premio Nobel de medicina.

Agnes Driscoll
1889-1971

Trabajó en la Inteligencia Naval americana tras la Primera Guerra Mundial, en donde fue una descifradora de primera fila apodada "Madame X". En 1936 descifró los códigos de una red de espionaje japonés que operaba en EE.UU. En la Segunda Guerra Mundial trabajaba descifrando códigos navales japoneses.

Rosalind Franklin
1920-1958

Física británica que probó que las moléculas de ADN son en espiral. Su descubrimiento llevó a descifrar el código genético humano.

William Friedman
1891-1969
Enseñó desciframiento en el ejército americano antes de la Segunda Guerra Mundial. Su logro más grande fue descifrar la clave japonesa Púrpura en 1940. También escribió artículos científicos que sentaron las bases del desciframiento moderno y lo vinculó con los principios de la matemática del sonido.

Thomas Jefferson
1743-1826
Tercer presidente de los EE.UU. y artífice de la Declaración de Independencia. También inventó una máquina de cifrado de 36 discos. La máquina fue adoptada por el ejército de los EE.UU. 100 años después de su invención.

Al-Kindi
Siglo IX d.C.
Erudito árabe que escribió el *Manuscrito sobre el desciframiento de mensajes criptográficos*. En esta obra, que fue redescubierta en 1987, trazó los principios del análisis de frecuencia. Éste es un medio de desciframiento que analiza la frecuencia en que aparecen las letras tanto en el texto cifrado como en el texto claro en la lengua original.

Marian Rejewski
1905-1980
Descifrador polaco que desveló las versiones de la máquina Enigma anteriores a la guerra. Construyó réplicas de esta máquina, conocidas como bombas, para probar las diferentes disposiciones de los rodillos. Su trabajo pasó a Alan Turing y a otros descifradores de Bletchley Park a comienzos de la Segunda Guerra Mundial.

Antoine Rossignol
1600-1682
Primer francés que fue descifrador de profesión. Tenía una elevada posición en la corte de Luis XIV y desempeñó un papel importante en la diplomacia francesa. Inventó la gran clave del rey, que permaneció sin descifrar hasta el siglo XIX. La palabra *rossignol* se empezó a usar en francés corriente para "cerradura", como homenaje a la habilidad de Rossignol en descifrar claves.

Arthur Scherbius
1878-1929
Inventor alemán que ideó la máquina Enigma. Los primeros ejemplares se hicieron en 1923, en origen para proteger secretos comerciales. Pero pronto fue usada sólo para fines militares.

Alan Turing
1912-1954
Matemático británico que venció a las versiones avanzadas de la máquina Enigma durante la guerra. Esto permitió a los aliados leer casi todos los secretos alemanes. En 1937 diseñó los planos de la Máquina Turing Universal, una versión primitiva del actual ordenador. Hoy es considerado uno de los investigadores más agudos en ordenadores.

Michael Ventris
1922-1956
Arquitecto británico con una gran fascinación por la historia antigua. Tenía facilidad para las lenguas y se propuso descifrar la Lineal B, misteriosa escritura antigua de Creta. Se pensaba que representaba a una lengua única y perdida, pero Ventris probó que se trataba de una forma muy primitiva de griego. Los historiadores tuvieron que reescribir sus libros de historia.

Blaise de Vigenère
1523-1596
Diplomático francés que aprendió el arte de la criptografía en sus misiones diplomáticas en Roma. Sus complejas claves usaban 26 alfabetos separados dispuestos en una tabla, llamada Tabla Vigenère. Permaneció sin descifrar durante 300 años.

Thomas Young
1773-1829
Erudito británico, primero en darse cuenta de que algunos jeroglíficos egipcios representaban letras y sonidos, como en los alfabetos actuales. Su trabajo permitió a Champollion descifrar completamente los jeroglíficos unos años más tarde.

SITIOS WEB SOBRE CÓDIGOS

Mensajes SMS para móvil:
www.webmovilgsm.com/sms/diccionario.htm
www.viajoven.com/diccionario.htm
Emoticonos: www.eumed.net/grumetes/emoticon.htm
Sobre criptología:
www.kriptopolis.com
http://garaje.ya.com/alvy/cripto/
www.iec.csic.es/tic_criptografia.html
Juego de cifrado para niños:
www.nfs.gov/od/lpa/nstw/teach/activity/su2a2.htm
Aprende a cifrar datos:
www.xs4all.nl/~bslash/muren/crypdata.htm
Encontrarás cientos de enlaces en:
http://frode.home.cern.ch/frode/crypto/index.html

Sobre Enigma y Turing en inglés:
www.codesandciphers.org.uk/
www.turing.org.uk/turing/
Un teclado Enigma virtual en:
http://homepages.tesco.net/~andycarlson/enigma/enigma_j.html
Historia de los virus y protección:
www.viruspot.com/historia.html
http://seguridad.internautas.org/criptografia.php
Viaja al pasado y estudia los jeroglíficos mayas:
www.halfmoon.org/index.html
Sobre el genoma humano:
www.elpais.es/especiales/2000/genoma/index.html
www.monografias.com/especiales/genoma/index.shtml
www.bbc.co.uk/spanish/extra0006genomaa.htm

VOCABULARIO

análisis de frecuencia: sistema de desciframiento que compara el número de veces que una letra o símbolo es usado en un mensaje codificado con las letras más frecuentes de la lengua en la que expresó el texto claro.

Bletchley Park: centro inglés de desciframiento durante la Segunda Guerra Mundial, donde se descifró la máquina Enigma.

cámaras negras: oficinas secretas de descodificación que revisaban el correo.

cifrar: transformar un mensaje original en uno cifrado.

clave: sistema de ocultar el significado de un mensaje sustituyendo cada letra por otra. Una clave se suele descifrar con una palabra clave.

clave: este término se usa también para indicar una palabra, serie de números, breve frase e incluso un libro, que es conocido tanto por el emisor como por el receptor de un mensaje cifrado. La clave es la que permite al receptor descifrar el mensaje.

clave de mensaje: la que se utiliza para cifrar y descifrar un único mensaje.

clave diaria: un cifrado especial que usa una clave distinta para los mensajes de cada día.

clave privada: la clave usada por el receptor para descifrar un mensaje usando el sistema criptográfico de clave pública. La clave privada se tiene que guardar en secreto.

clave pública: la clave usada por el emisor para enviar un mensaje usando el sistema criptográfico de clave pública.

codificar: transformar un mensaje original en uno codificado.

código: sistema de ocultar el significado de un mensaje sustituyendo palabras enteras o frases por una letra, número o símbolo (o grupos de ellos) recogidos en un libro de códigos. En sentido general se usa tanto para códigos como para claves.

código binario: código de dos dígitos (0 y 1) usado por los ordenadores.

código cuántico: clave basada en el comportamiento aleatorio de partículas subatómicas.

código genético: planos de la vida humana contenidos en los genes que hay en nuestros cromosomas.

código Morse: código para uso a través del telégrafo. Consiste en una serie de pulsaciones eléctricas (puntos y rayas) que combinadas representan letras del alfabeto o números.

criptoanálisis: el desciframiento de un código o una clave.

criptografía: acción de poner un mensaje en código o en clave. Criptografía y criptoanálisis constituyen juntas la ciencia de la criptología o estudio de los códigos y las claves.

criptografía de clave pública: sistema criptográfico que usa distintas claves a cada extremo de la transmisión (una pública para cifrar y otra privada para descifrar).

cuneiforme: escritura usada en la antigua Mesopotamia con signos en forma de cuña.

descodificar: volver a convertir en legible el mensaje original que había sido codificado.

descifrar: volver a convertir en legible el mensaje original que había sido cifrado.

disco de cifrado: dos o más discos alfabéticos giratorios, unidos en su centro, cuya alineación se usaba para codificar cartas.

Enigma: máquina alemana de la Segunda Guerra Mundial que cifraba mensajes por medio de un complejo sistema de rodillos giratorios.

escítala: forma antigua de comunicar un mensaje en clave.

genoma humano: el código genético completo del ser humano, las instrucciones para su construcción.

glifo: forma pictográfica usada por los mayas y otros pueblos de América.

heliógrafo: dispositivo de señales que se usa de día reflejando la luz solar.

jeroglífico: forma de escritura de imágenes usada en el antiguo Egipto.

libro de claves: clave en la que la palabra clave ha de encontrarse en las palabras numeradas de un libro concreto. La primera letra de la primera palabra es 1, la primera letra de la segunda palabra es 2, etc.

libro de códigos: libro que contiene una lista de sustitutos para palabras o frases del mensaje original.

mensajería de texto: envío por teléfono móvil de mensajes abreviados.

navajo: lengua de la tribu india americana navajo que fue usada como código en la Segunda Guerra Mundial.

ordenador cuántico: ordenador del futuro que podría funcionar con partículas subatómicas.

pictograma: imagen que representa una palabra o una idea.

Púrpura, máquina: máquina japonesa de la Segunda Guerra Mundial que cifraba mensajes a través de un sistema de conexiones telefónicas.

SMS: nombre formal del envío de mensajes de texto de teléfono móvil (Short Message Service).

tabla de Vigenère: una clave que consistía en 26 alfabetos dispuestos en una tabla.

texto cifrado: texto de un mensaje que ya ha sido cifrado.

texto claro: texto original de un mensaje antes de que sea cifrado.

variación César: clave antigua en la que cada letra del alfabeto es sustituida por otra dos o más lugares más adelante en el alfabeto.

ÍNDICE DE NOMBRES

CRÉDITOS

Dorling Kindersley quiere mostrar su agradecimiento a:

Marcus James por el concepto inicial de diseño y Chris Bernstein por elaborar el índice.

El autor quiere agradecer a:
David Broom por su conocimiento técnico y a Fran, Stefan, Darren, y especialmente David, de DK por toda su ayuda y apoyo en la escritura, edición y diseño del libro.